Charles Baudelaire

Les Fleurs du Mal

Dossier réalisé par
Dominique Carlat

Lecture d'image par
Valérie Lagier

Dominique Carlat, ancien élève de l'École normale supérieure de la rue d'Ulm, agrégé de lettres, est maître de conférences à l'Université Lyon 2. Il travaille sur la littérature contemporaine et consacre ses recherches à la poésie moderne. Il a notamment publié chez Corti *Ghérasim Luca l'intempestif*.

Conservateur au musée de Grenoble puis au musée des Beaux-Arts de Rennes, **Valérie Lagier** a organisé de nombreuses expositions d'art moderne et contemporain. Elle a créé, à Rennes, un service éducatif très innovant, et assuré de nombreuses formations d'histoire de l'art pour les enseignants et les étudiants. Elle est l'auteur de plusieurs publications scientifiques et pédagogiques. Elle est actuellement adjointe à la directrice des Études de l'Institut national du Patrimoine à Paris.

Sommaire

Les Fleurs du Mal

(Texte de 1861)

AU POËTE IMPECCABLE
AU PARFAIT MAGICIEN ÈS LETTRES FRANÇAISES
À MON TRÈS-CHER ET TRÈS-VÉNÉRÉ
MAÎTRE ET AMI

THÉOPHILE GAUTIER

AVEC LES SENTIMENTS
DE LA PLUS PROFONDE HUMILITÉ
JE DÉDIE
CES FLEURS MALADIVES

C. B.

AU LECTEUR

La sottise, l'erreur, le péché, la lésine,
Occupent nos esprits et travaillent nos corps,
Et nous alimentons nos aimables remords,
4 Comme les mendiants nourrissent leur vermine.

Nos péchés sont têtus, nos repentirs sont lâches;
Nous nous faisons payer grassement nos aveux,
Et nous rentrons gaiement dans le chemin bourbeux,
8 Croyant par de vils pleurs laver toutes nos taches.

Sur l'oreiller du mal c'est Satan Trismégiste
Qui berce longuement notre esprit enchanté,
Et le riche métal de notre volonté
12 Est tout vaporisé par ce savant chimiste.

C'est le Diable qui tient les fils qui nous remuent!
Aux objets répugnants nous trouvons des appas;
Chaque jour vers l'Enfer nous descendons d'un pas,
16 Sans horreur, à travers des ténèbres qui puent.

Ainsi qu'un débauché pauvre qui baise et mange
Le sein martyrisé d'une antique catin,

Nous volons au passage un plaisir clandestin
20 Que nous pressons bien fort comme une vieille orange.

Serré, fourmillant, comme un million d'helminthes[1],
Dans nos cerveaux ribote un peuple de Démons,
Et, quand nous respirons, la Mort dans nos poumons
24 Descend, fleuve invisible, avec de sourdes plaintes.

Si le viol, le poison, le poignard, l'incendie,
N'ont pas encor brodé de leurs plaisants dessins
Le canevas banal de nos piteux destins,
28 C'est que notre âme, hélas! n'est pas assez hardie.

Mais parmi les chacals, les panthères, les lices[2],
Les singes, les scorpions, les vautours, les serpents,
Les monstres glapissants, hurlants, grognants, rampants,
32 Dans la ménagerie infâme de nos vices,

Il en est un plus laid, plus méchant, plus immonde!
Quoiqu'il ne pousse ni grands gestes ni grands cris,
Il ferait volontiers de la terre un débris
36 Et dans un bâillement avalerait le monde;

C'est l'Ennui! — l'œil chargé d'un pleur involontaire,
Il rêve d'échafauds en fumant son houka[3].
Tu le connais, lecteur, ce monstre délicat,
40 — Hypocrite lecteur, — mon semblable, — mon frère!

---

1. Vers parasites de l'homme et des animaux.
2. Femelles de chiens de chasse.
3. Sorte de narguilé, pipe des Indes.

Spleen et Idéal

I

BÉNÉDICTION

Lorsque, par un décret des puissances suprêmes,
Le Poëte apparaît en ce monde ennuyé,
Sa mère épouvantée et pleine de blasphèmes
4 Crispe ses poings vers Dieu, qui la prend en pitié :

— « Ah ! que n'ai-je mis bas tout un nœud de vipères,
Plutôt que de nourrir cette dérision !
Maudite soit la nuit aux plaisirs éphémères
8 Où mon ventre a conçu mon expiation !

Puisque tu m'as choisie entre toutes les femmes
Pour être le dégoût de mon triste mari,
Et que je ne puis pas rejeter dans les flammes,
12 Comme un billet d'amour, ce monstre rabougri,

Je ferai rejaillir ta haine qui m'accable
Sur l'instrument maudit de tes méchancetés,
Et je tordrai si bien cet arbre misérable,
16 Qu'il ne pourra pousser ses boutons empestés ! »

Elle ravale ainsi l'écume de sa haine,
Et, ne comprenant pas les desseins éternels,
Elle-même prépare au fond de la Géhenne[1]
20 Les bûchers consacrés aux crimes maternels.

Pourtant, sous la tutelle invisible d'un Ange,
L'Enfant déshérité s'enivre de soleil,
Et dans tout ce qu'il boit et dans tout ce qu'il mange
24 Retrouve l'ambroisie et le nectar vermeil.

Il joue avec le vent, cause avec le nuage,
Et s'enivre en chantant du chemin de la croix ;
Et l'Esprit qui le suit dans son pèlerinage
28 Pleure de le voir gai comme un oiseau des bois.

Tous ceux qu'il veut aimer l'observent avec crainte,
Ou bien, s'enhardissant de sa tranquillité,
Cherchent à qui saura lui tirer une plainte,
32 Et font sur lui l'essai de leur férocité.

Dans le pain et le vin destinés à sa bouche
Ils mêlent de la cendre avec d'impurs crachats ;
Avec hypocrisie ils jettent ce qu'il touche,
36 Et s'accusent d'avoir mis leurs pieds dans ses pas.

Sa femme va criant sur les places publiques :
« Puisqu'il me trouve assez belle pour m'adorer,
Je ferai le métier des idoles antiques,
40 Et comme elles je veux me faire redorer ;

Et je me soûlerai de nard, d'encens, de myrrhe,
De génuflexions, de viandes et de vins,

---

1. Séjour réservé aux réprouvés, enfer ; douleur extrême.

Pour savoir si je puis dans un cœur qui m'admire
44 Usurper en riant les hommages divins !

Et, quand je m'ennuierai de ces farces impies,
Je poserai sur lui ma frêle et forte main ;
Et mes ongles, pareils aux ongles des harpies,
48 Sauront jusqu'à son cœur se frayer un chemin.

Comme un tout jeune oiseau qui tremble et qui palpite,
J'arracherai ce cœur tout rouge de son sein,
Et, pour rassasier ma bête favorite,
52 Je le lui jetterai par terre avec dédain ! »

Vers le Ciel, où son œil voit un trône splendide,
Le Poëte serein lève ses bras pieux,
Et les vastes éclairs de son esprit lucide
56 Lui dérobent l'aspect des peuples furieux :

— « Soyez béni, mon Dieu, qui donnez la souffrance
Comme un divin remède à nos impuretés
Et comme la meilleure et la plus pure essence
60 Qui prépare les forts aux saintes voluptés !

Je sais que vous gardez une place au Poëte
Dans les rangs bienheureux des saintes Légions,
Et que vous l'invitez à l'éternelle fête
64 Des Trônes, des Vertus, des Dominations.

Je sais que la douleur est la noblesse unique
Où ne mordront jamais la terre et les enfers,
Et qu'il faut pour tresser ma couronne mystique
68 Imposer tous les temps et tous les univers.

Mais les bijoux perdus de l'antique Palmyre,
Les métaux inconnus, les perles de la mer,

Par votre main montés, ne pourraient pas suffire
72 À ce beau diadème éblouissant et clair ;

Car il ne sera fait que de pure lumière,
Puisée au foyer saint des rayons primitifs,
Et dont les yeux mortels, dans leur splendeur entière,
76 Ne sont que des miroirs obscurcis et plaintifs ! »

II

L'ALBATROS

Souvent, pour s'amuser, les hommes d'équipage
Prennent des albatros, vastes oiseaux des mers,
Qui suivent, indolents compagnons de voyage,
4 Le navire glissant sur les gouffres amers.

À peine les ont-ils déposés sur les planches,
Que ces rois de l'azur, maladroits et honteux,
Laissent piteusement leurs grandes ailes blanches
8 Comme des avirons traîner à côté d'eux.

Ce voyageur ailé, comme il est gauche et veule !
Lui, naguère si beau, qu'il est comique et laid !
L'un agace son bec avec un brûle-gueule,
12 L'autre mime, en boitant, l'infirme qui volait !

Le Poëte est semblable au prince des nuées
Qui hante la tempête et se rit de l'archer ;
Exilé sur le sol au milieu des huées,
16 Ses ailes de géant l'empêchent de marcher.

III

ÉLÉVATION

Au-dessus des étangs, au-dessus des vallées,
Des montagnes, des bois, des nuages, des mers,
Par delà le soleil, par delà les éthers,
4 Par delà les confins des sphères étoilées,

Mon esprit, tu te meus avec agilité,
Et, comme un bon nageur qui se pâme dans l'onde,
Tu sillonnes gaiement l'immensité profonde
8 Avec une indicible et mâle volupté.

Envole-toi bien loin de ces miasmes morbides;
Va te purifier dans l'air supérieur,
Et bois, comme une pure et divine liqueur,
12 Le feu clair qui remplit les espaces limpides.

Derrière les ennuis et les vastes chagrins
Qui chargent de leur poids l'existence brumeuse,
Heureux celui qui peut d'une aile vigoureuse
16 S'élancer vers les champs lumineux et sereins;

Celui dont les pensers, comme des alouettes,
Vers les cieux le matin prennent un libre essor,
— Qui plane sur la vie, et comprend sans effort
20 Le langage des fleurs et des choses muettes!

IV

CORRESPONDANCES

La Nature est un temple où de vivants piliers
Laissent parfois sortir de confuses paroles ;
L'homme y passe à travers des forêts de symboles
4 Qui l'observent avec des regards familiers.

Comme de longs échos qui de loin se confondent
Dans une ténébreuse et profonde unité,
Vaste comme la nuit et comme la clarté,
8 Les parfums, les couleurs et les sons se répondent.

Il est des parfums frais comme des chairs d'enfants,
Doux comme les hautbois, verts comme les prairies,
11 — Et d'autres, corrompus, riches et triomphants,

Ayant l'expansion des choses infinies,
Comme l'ambre, le musc, le benjoin et l'encens
14 Qui chantent les transports de l'esprit et des sens.

V

J'aime le souvenir de ces époques nues,
Dont Phœbus se plaisait à dorer les statues.
Alors l'homme et la femme en leur agilité
Jouissaient sans mensonge et sans anxiété,
5 Et, le ciel amoureux leur caressant l'échine,
Exerçaient la santé de leur noble machine.
Cybèle alors, fertile en produits généreux,
Ne trouvait point ses fils un poids trop onéreux,
Mais, louve au cœur gonflé de tendresses communes,

10 Abreuvait l'univers à ses tetines brunes.
L'homme, élégant, robuste et fort, avait le droit
D'être fier des beautés qui le nommaient leur roi ;
Fruits purs de tout outrage et vierges de gerçures,
Dont la chair lisse et ferme appelait les morsures !

15 Le Poëte aujourd'hui, quand il veut concevoir
Ces natives grandeurs, aux lieux où se font voir
La nudité de l'homme et celle de la femme,
Sent un froid ténébreux envelopper son âme
Devant ce noir tableau plein d'épouvantement.
20 Ô monstruosités pleurant leur vêtement !
Ô ridicules troncs ! torses dignes des masques !
Ô pauvres corps tordus, maigres, ventrus ou flasques,
Que le dieu de l'Utile, implacable et serein,
Enfants, emmaillota dans ses langes d'airain !
25 Et vous, femmes, hélas ! pâles comme des cierges,
Que ronge et que nourrit la débauche, et vous, vierges,
Du vice maternel traînant l'hérédité
Et toutes les hideurs de la fécondité !

Nous avons, il est vrai, nations corrompues,
30 Aux peuples anciens des beautés inconnues :
Des visages rongés par les chancres du cœur,
Et comme qui dirait des beautés de langueur ;
Mais ces inventions de nos muses tardives
N'empêcheront jamais les races maladives
35 De rendre à la jeunesse un hommage profond,
   — À la sainte jeunesse, à l'air simple, au doux front,
À l'œil limpide et clair ainsi qu'une eau courante,
Et qui va répandant sur tout, insouciante
Comme l'azur du ciel, les oiseaux et les fleurs,
40 Ses parfums, ses chansons et ses douces chaleurs !

VI

LES PHARES

Rubens, fleuve d'oubli, jardin de la paresse,
Oreiller de chair fraîche où l'on ne peut aimer,
Mais où la vie afflue et s'agite sans cesse,
4 Comme l'air dans le ciel et la mer dans la mer;

Léonard de Vinci, miroir profond et sombre,
Où des anges charmants, avec un doux souris
Tout chargé de mystère, apparaissent à l'ombre
8 Des glaciers et des pins qui ferment leur pays;

Rembrandt, triste hôpital tout rempli de murmures,
Et d'un grand crucifix décoré seulement,
Où la prière en pleurs s'exhale des ordures,
12 Et d'un rayon d'hiver traversé brusquement;

Michel-Ange, lieu vague où l'on voit des Hercules
Se mêler à des Christs, et se lever tout droits
Des fantômes puissants qui dans les crépuscules
16 Déchirent leur suaire en étirant leurs doigts;

Colères de boxeur, impudences de faune,
Toi qui sus ramasser la beauté des goujats,
Grand cœur gonflé d'orgueil, homme débile et jaune,
20 Puget, mélancolique empereur des forçats;

Watteau, ce carnaval où bien des cœurs illustres,
Comme des papillons, errent en flamboyant,
Décors frais et légers éclairés par des lustres
24 Qui versent la folie à ce bal tournoyant;

Goya, cauchemar plein de choses inconnues,
De fœtus qu'on fait cuire au milieu des sabbats,
De vieilles au miroir et d'enfants toutes nues,
28 Pour tenter les démons ajustant bien leurs bas ;

Delacroix, lac de sang hanté des mauvais anges,
Ombragé par un bois de sapins toujours vert,
Où, sous un ciel chagrin, des fanfares étranges
32 Passent, comme un soupir étouffé de Weber[1] ;

Ces malédictions, ces blasphèmes, ces plaintes,
Ces extases, ces cris, ces pleurs, ces *Te Deum*,
Sont un écho redit par mille labyrinthes ;
36 C'est pour les cœurs mortels un divin opium !

C'est un cri répété par mille sentinelles,
Un ordre renvoyé par mille porte-voix ;
C'est un phare allumé sur mille citadelles,
40 Un appel de chasseurs perdus dans les grands bois !

Car c'est vraiment, Seigneur, le meilleur témoignage
Que nous puissions donner de notre dignité
Que cet ardent sanglot qui roule d'âge en âge
44 Et vient mourir au bord de votre éternité !

VII

LA MUSE MALADE

Ma pauvre muse, hélas ! qu'as-tu donc ce matin ?
Tes yeux creux sont peuplés de visions nocturnes,

---

1. Carl Maria von Weber (1786-1826), compositeur allemand, auteur de l'opéra le *Freischütz* (1821), représentant du romantisme musical.

Et je vois tour à tour réfléchis sur ton teint
4 La folie et l'horreur, froides et taciturnes.

Le succube verdâtre et le rose lutin
T'ont-ils versé la peur et l'amour de leurs urnes ?
Le cauchemar, d'un poing despotique et mutin,
8 T'a-t-il noyée au fond d'un fabuleux Minturnes[1] ?

Je voudrais qu'exhalant l'odeur de la santé
Ton sein de pensers forts fût toujours fréquenté,
11 Et que ton sang chrétien coulât à flots rythmiques

Comme les sons nombreux des syllabes antiques,
Où règnent tour à tour le père des chansons,
14 Phœbus, et le grand Pan, le seigneur des moissons.

VIII

LA MUSE VÉNALE

Ô muse de mon cœur, amante des palais,
Auras-tu, quand Janvier lâchera ses Borées[2],
Durant les noirs ennuis des neigeuses soirées,
4 Un tison pour chauffer tes deux pieds violets ?

Ranimeras-tu donc tes épaules marbrées
Aux nocturnes rayons qui percent les volets ?
Sentant ta bourse à sec autant que ton palais,
8 Récolteras-tu l'or des voûtes azurées ?

---

1. Marécage dans lequel Marius, poursuivi par les soldats de Sylla, se réfugia et qui lui valut la vie sauve.
2. Dieu grec du vent du Nord.

Il te faut, pour gagner ton pain de chaque soir,
Comme un enfant de chœur, jouer de l'encensoir,
11 Chanter des *Te Deum* auxquels tu ne crois guère,

Ou, saltimbanque à jeun, étaler tes appas
Et ton rire trempé de pleurs qu'on ne voit pas,
14 Pour faire épanouir la rate du vulgaire.

IX

LE MAUVAIS MOINE

Les cloîtres anciens sur leurs grandes murailles
Étalaient en tableaux la sainte Vérité,
Dont l'effet, réchauffant les pieuses entrailles,
4 Tempérait la froideur de leur austérité.

En ces temps où du Christ florissaient les semailles,
Plus d'un illustre moine, aujourd'hui peu cité,
Prenant pour atelier le champ des funérailles,
8 Glorifiait la Mort avec simplicité.

— Mon âme est un tombeau que, mauvais cénobite[1],
Depuis l'éternité je parcours et j'habite ;
11 Rien n'embellit les murs de ce cloître odieux.

Ô moine fainéant ! quand saurai-je donc faire
Du spectacle vivant de ma triste misère
14 Le travail de mes mains et l'amour de mes yeux ?

---

1. Religieux qui vivait en communauté dans les premiers siècles chrétiens.

X

L'ENNEMI

Ma jeunesse ne fut qu'un ténébreux orage,
Traversé çà et là par de brillants soleils ;
Le tonnerre et la pluie ont fait un tel ravage,
4 Qu'il reste en mon jardin bien peu de fruits vermeils.

Voilà que j'ai touché l'automne des idées,
Et qu'il faut employer la pelle et les râteaux
Pour rassembler à neuf les terres inondées,
8 Où l'eau creuse des trous grands comme des tombeaux.

Et qui sait si les fleurs nouvelles que je rêve
Trouveront dans ce sol lavé comme une grève
11 Le mystique aliment qui ferait leur vigueur ?

— Ô douleur ! ô douleur ! Le Temps mange la vie,
Et l'obscur Ennemi qui nous ronge le cœur
14 Du sang que nous perdons croît et se fortifie !

XI

LE GUIGNON[1]

Pour soulever un poids si lourd,
Sisyphe, il faudrait ton courage !
Bien qu'on ait du cœur à l'ouvrage,
4 L'Art est long et le Temps est court.

---

1. Mauvaise chance persistante.

Loin des sépultures célèbres,
Vers un cimetière isolé,
Mon cœur, comme un tambour voilé,
8 Va battant des marches funèbres.

— Maint joyau dort enseveli
Dans les ténèbres et l'oubli,
11 Bien loin des pioches et des sondes ;

Mainte fleur épanche à regret
Son parfum doux comme un secret
14 Dans les solitudes profondes.

XII

LA VIE ANTÉRIEURE

J'ai longtemps habité sous de vastes portiques
Que les soleils marins teignaient de mille feux,
Et que leurs grands piliers, droits et majestueux,
4 Rendaient pareils, le soir, aux grottes basaltiques.

Les houles, en roulant les images des cieux,
Mêlaient d'une façon solennelle et mystique
Les tout-puissants accords de leur riche musique
8 Aux couleurs du couchant reflété par mes yeux.

C'est là que j'ai vécu dans les voluptés calmes,
Au milieu de l'azur, des vagues, des splendeurs
11 Et des esclaves nus, tout imprégnés d'odeurs,

Qui me rafraîchissaient le front avec des palmes,
Et dont l'unique soin était d'approfondir
14 Le secret douloureux qui me faisait languir.

XIII

BOHÉMIENS EN VOYAGE

La tribu prophétique aux prunelles ardentes
Hier s'est mise en route, emportant ses petits
Sur son dos, ou livrant à leurs fiers appétits
4 Le trésor toujours prêt des mamelles pendantes.

Les hommes vont à pied sous leurs armes luisantes
Le long des chariots où les leurs sont blottis,
Promenant sur le ciel des yeux appesantis
8 Par le morne regret des chimères absentes.

Du fond de son réduit sablonneux, le grillon,
Les regardant passer, redouble sa chanson ;
11 Cybèle, qui les aime, augmente ses verdures,

Fait couler le rocher et fleurir le désert
Devant ces voyageurs, pour lesquels est ouvert
14 L'empire familier des ténèbres futures.

XIV

L'HOMME ET LA MER

Homme libre, toujours tu chériras la mer !
La mer est ton miroir ; tu contemples ton âme
Dans le déroulement infini de sa lame,
4 Et ton esprit n'est pas un gouffre moins amer.

Tu te plais à plonger au sein de ton image ;
Tu l'embrasses des yeux et des bras, et ton cœur

Se distrait quelquefois de sa propre rumeur
8 Au bruit de cette plainte indomptable et sauvage.

Vous êtes tous les deux ténébreux et discrets :
Homme, nul n'a sondé le fond de tes abîmes,
Ô mer, nul ne connaît tes richesses intimes,
12 Tant vous êtes jaloux de garder vos secrets !

Et cependant voilà des siècles innombrables
Que vous vous combattez sans pitié ni remord,
Tellement vous aimez le carnage et la mort,
16 Ô lutteurs éternels, ô frères implacables !

XV

DON JUAN AUX ENFERS

Quand Don Juan descendit vers l'onde souterraine
Et lorsqu'il eut donné son obole à Charon,
Un sombre mendiant, l'œil fier comme Antisthène [1],
4 D'un bras vengeur et fort saisit chaque aviron.

Montrant leurs seins pendants et leurs robes ouvertes,
Des femmes se tordaient sous le noir firmament,
Et, comme un grand troupeau de victimes offertes,
8 Derrière lui traînaient un long mugissement.

Sganarelle en riant lui réclamait ses gages,
Tandis que Don Luis avec un doigt tremblant
Montrait à tous les morts errant sur les rivages
12 Le fils audacieux qui railla son front blanc.

---

1. Fier comme le philosophe élève de Socrate ayant fondé l'école des Cyniques.

Frissonnant sous son deuil, la chaste et maigre Elvire,
Près de l'époux perfide et qui fut son amant,
Semblait lui réclamer un suprême sourire
16 Où brillât la douceur de son premier serment.

Tout droit dans son armure, un grand homme de pierre
Se tenait à la barre et coupait le flot noir ;
Mais le calme héros, courbé sur sa rapière,
20 Regardait le sillage et ne daignait rien voir.

XVI

CHÂTIMENT DE L'ORGUEIL

En ces temps merveilleux où la Théologie
Fleurit avec le plus de séve et d'énergie,
On raconte qu'un jour un docteur des plus grands,
— Après avoir forcé les cœurs indifférents ;
5 Les avoir remués dans leurs profondeurs noires ;
Après avoir franchi vers les célestes gloires
Des chemins singuliers à lui-même inconnus,
Où les purs Esprits seuls peut-être étaient venus, —
Comme un homme monté trop haut, pris de panique,
10 S'écria, transporté d'un orgueil satanique :
« Jésus, petit Jésus ! je t'ai poussé bien haut !
Mais, si j'avais voulu t'attaquer au défaut
De l'armure, ta honte égalerait ta gloire,
Et tu ne serais plus qu'un fœtus dérisoire ! »

15 Immédiatement sa raison s'en alla.
L'éclat de ce soleil d'un crêpe se voila ;
Tout le chaos roula dans cette intelligence,
Temple autrefois vivant, plein d'ordre et d'opulence,

Sous les plafonds duquel tant de pompe avait lui.
20 Le silence et la nuit s'installèrent en lui,
Comme dans un caveau dont la clef est perdue.
Dès lors il fut semblable aux bêtes de la rue,
Et, quand il s'en allait sans rien voir, à travers
Les champs, sans distinguer les étés des hivers,
25 Sale, inutile et laid comme une chose usée,
Il faisait des enfants la joie et la risée.

XVII

LA BEAUTÉ

Je suis belle, ô mortels ! comme un rêve de pierre,
Et mon sein, où chacun s'est meurtri tour à tour,
Est fait pour inspirer au poëte un amour
4 Éternel et muet ainsi que la matière.

Je trône dans l'azur comme un sphinx incompris ;
J'unis un cœur de neige à la blancheur des cygnes ;
Je hais le mouvement qui déplace les lignes,
8 Et jamais je ne pleure et jamais je ne ris.

Les poëtes, devant mes grandes attitudes,
Que j'ai l'air d'emprunter aux plus fiers monuments,
11 Consumeront leurs jours en d'austères études ;

Car j'ai, pour fasciner ces dociles amants,
De purs miroirs qui font toutes choses plus belles :
14 Mes yeux, mes larges yeux aux clartés éternelles !

XVIII

L'IDÉAL

Ce ne seront jamais ces beautés de vignettes,
Produits avariés, nés d'un siècle vaurien,
Ces pieds à brodequins, ces doigts à castagnettes,
4 Qui sauront satisfaire un cœur comme le mien.

Je laisse à Gavarni[1], poëte des chloroses[2],
Son troupeau gazouillant de beautés d'hôpital,
Car je ne puis trouver parmi ces pâles roses
8 Une fleur qui ressemble à mon rouge idéal.

Ce qu'il faut à ce cœur profond comme un abîme,
C'est vous, Lady Macbeth, âme puissante au crime,
11 Rêve d'Eschyle éclos au climat des autans ;

Ou bien toi, grande Nuit, fille de Michel-Ange,
Qui tors paisiblement dans une pose étrange
14 Tes appas façonnés aux bouches des Titans !

XIX

LA GÉANTE

Du temps que la Nature en sa verve puissante
Concevait chaque jour des enfants monstrueux,
J'eusse aimé vivre auprès d'une jeune géante,
4 Comme aux pieds d'une reine un chat voluptueux.

---

1. Paul Gavarni (1804-1866), caricaturiste français auquel Baudelaire préférait Daumier, bien qu'il ait reconnu dans ses œuvres « des
archives de la monarchie ».
2. Étiolement des plantes caractérisé par leur décoloration ; anémie.

J'eusse aimé voir son corps fleurir avec son âme
Et grandir librement dans ses terribles jeux ;
Deviner si son cœur couve une sombre flamme
8 Aux humides brouillards qui nagent dans ses yeux ;

Parcourir à loisir ses magnifiques formes ;
Ramper sur le versant de ses genoux énormes,
11 Et parfois en été, quand les soleils malsains,

Lasse, la font s'étendre à travers la campagne,
Dormir nonchalamment à l'ombre de ses seins,
14 Comme un hameau paisible au pied d'une montagne.

XX

LE MASQUE

Statue allégorique dans le goût de la Renaissance

À *Ernest Christophe, statuaire.*

Contemplons ce trésor de grâces florentines ;
Dans l'ondulation de ce corps musculeux
L'Élégance et la Force abondent, sœurs divines.
Cette femme, morceau vraiment miraculeux,
5 Divinement robuste, adorablement mince,
Est faite pour trôner sur des lits somptueux,
Et charmer les loisirs d'un pontife ou d'un prince.

— Aussi, vois ce souris fin et voluptueux
Où la Fatuité promène son extase,

10 Ce long regard sournois, langoureux et moqueur;
    Ce visage mignard, tout encadré de gaze,
    Dont chaque trait nous dit avec un air vainqueur:
    « La Volupté m'appelle et l'Amour me couronne! »
    À cet être doué de tant de majesté
15 Vois quel charme excitant la gentillesse donne!
    Approchons, et tournons autour de sa beauté.

    Ô blasphème de l'art! ô surprise fatale!
    La femme au corps divin, promettant le bonheur,
    Par le haut se termine en monstre bicéphale!

20 — Mais non! ce n'est qu'un masque, un décor suborneur,
    Ce visage éclairé d'une exquise grimace,
    Et, regarde, voici, crispée atrocement,
    La véritable tête, et la sincère face
    Renversée à l'abri de la face qui ment.
25 Pauvre grande beauté! le magnifique fleuve
    De tes pleurs aboutit dans mon cœur soucieux;
    Ton mensonge m'enivre, et mon âme s'abreuve
    Aux flots que la Douleur fait jaillir de tes yeux!

    — Mais pourquoi pleure-t-elle? Elle, beauté parfaite
30 Qui mettrait à ses pieds le genre humain vaincu,
    Quel mal mystérieux ronge son flanc d'athlète?

    — Elle pleure, insensé, parce qu'elle a vécu!
    Et parce qu'elle vit! Mais ce qu'elle déplore
    Surtout, ce qui la fait frémir jusqu'aux genoux,
35 C'est que demain, hélas! il faudra vivre encore!
    Demain, après-demain et toujours! — comme nous!

XXI

HYMNE À LA BEAUTÉ

Viens-tu du ciel profond ou sors-tu de l'abîme,
Ô Beauté ? ton regard, infernal et divin,
Verse confusément le bienfait et le crime,
4 Et l'on peut pour cela te comparer au vin.

Tu contiens dans ton œil le couchant et l'aurore ;
Tu répands des parfums comme un soir orageux ;
Tes baisers sont un philtre et ta bouche une amphore
8 Qui font le héros lâche et l'enfant courageux.

Sors-tu du gouffre noir ou descends-tu des astres ?
Le Destin charmé suit tes jupons comme un chien ;
Tu sèmes au hasard la joie et les désastres,
12 Et tu gouvernes tout et ne réponds de rien.

Tu marches sur des morts, Beauté, dont tu te moques ;
De tes bijoux l'Horreur n'est pas le moins charmant,
Et le Meurtre, parmi tes plus chères breloques,
16 Sur ton ventre orgueilleux danse amoureusement.

L'éphémère ébloui vole vers toi, chandelle,
Crépite, flambe et dit : Bénissons ce flambeau !
L'amoureux pantelant incliné sur sa belle
20 A l'air d'un moribond caressant son tombeau.

Que tu viennes du ciel ou de l'enfer, qu'importe,
Ô Beauté ! monstre énorme, effrayant, ingénu !
Si ton œil, ton souris, ton pied, m'ouvrent la porte
24 D'un Infini que j'aime et n'ai jamais connu ?

De Satan ou de Dieu, qu'importe ? Ange ou Sirène,
Qu'importe, si tu rends, — fée aux yeux de velours,
Rhythme[1], parfum, lueur, ô mon unique reine ! —
28 L'univers moins hideux et les instants moins lourds ?

XXII
PARFUM EXOTIQUE

Quand, les deux yeux fermés, en un soir chaud d'automne,
Je respire l'odeur de ton sein chaleureux,
Je vois se dérouler des rivages heureux
4 Qu'éblouissent les feux d'un soleil monotone ;

Une île paresseuse où la nature donne
Des arbres singuliers et des fruits savoureux ;
Des hommes dont le corps est mince et vigoureux,
8 Et des femmes dont l'œil par sa franchise étonne.

Guidé par ton odeur vers de charmants climats,
Je vois un port rempli de voiles et de mâts
11 Encor tout fatigués[2] par la vague marine,

Pendant que le parfum des verts tamariniers[3],
Qui circule dans l'air et m'enfle la narine,
14 Se mêle dans mon âme au chant des mariniers.

----

1. Orthographe ancienne de « rythme ».
2. Qui ont beaucoup servi et s'en trouvent fragilisés.
3. Grands arbres à fleurs en grappes poussant dans les régions tro-
picales.

XXIII

LA CHEVELURE

Ô toison, moutonnant jusque sur l'encolure !
Ô boucles ! Ô parfum chargé de nonchaloir !
Extase ! Pour peupler ce soir l'alcôve obscure
Des souvenirs dormant dans cette chevelure,
5 Je la veux agiter dans l'air comme un mouchoir !

La langoureuse Asie et la brûlante Afrique,
Tout un monde lointain, absent, presque défunt,
Vit dans tes profondeurs, forêt aromatique !
Comme d'autres esprits voguent sur la musique,
10 Le mien, ô mon amour ! nage sur ton parfum.

J'irai là-bas où l'arbre et l'homme, pleins de séve,
Se pâment longuement sous l'ardeur des climats ;
Fortes tresses, soyez la houle qui m'enlève !
Tu contiens, mer d'ébène, un éblouissant rêve
15 De voiles, de rameurs, de flammes et de mâts :

Un port retentissant où mon âme peut boire
À grands flots le parfum, le son et la couleur ;
Où les vaisseaux, glissant dans l'or et dans la moire,
Ouvrent leurs vastes bras pour embrasser la gloire
20 D'un ciel pur où frémit l'éternelle chaleur.

Je plongerai ma tête amoureuse d'ivresse
Dans ce noir océan où l'autre est enfermé ;
Et mon esprit subtil que le roulis caresse
Saura vous retrouver, ô féconde paresse !
25 Infinis bercements du loisir embaumé !

Cheveux bleus, pavillon de ténèbres tendues,
Vous me rendez l'azur du ciel immense et rond ;
Sur les bords duvetés de vos mèches tordues
Je m'enivre ardemment des senteurs confondues
30 De l'huile de coco, du musc et du goudron.

Longtemps ! toujours ! ma main dans ta crinière lourde
Sèmera le rubis, la perle et le saphir,
Afin qu'à mon désir tu ne sois jamais sourde !
N'es-tu pas l'oasis où je rêve, et la gourde
35 Où je hume à longs traits le vin du souvenir ?

XXIV

Je t'adore à l'égal de la voûte nocturne,
Ô vase de tristesse, ô grande taciturne,
Et t'aime d'autant plus, belle, que tu me fuis
Et que tu me parais, ornement de mes nuits,
5 Plus ironiquement accumuler les lieues
Qui séparent mes bras des immensités bleues.

Je m'avance à l'attaque, et je grimpe aux assauts,
Comme après un cadavre un chœur de vermisseaux,
Et je chéris, ô bête implacable et cruelle !
10 Jusqu'à cette froideur par où tu m'es plus belle !

XXV

Tu mettrais l'univers entier dans ta ruelle,
Femme impure ! L'ennui rend ton âme cruelle.
Pour exercer tes dents à ce jeu singulier,
Il te faut chaque jour un cœur au râtelier.

5 Tes yeux, illuminés ainsi que des boutiques
　Et des ifs flamboyants dans les fêtes publiques,
　Usent insolemment d'un pouvoir emprunté,
　Sans connaître jamais la loi de leur beauté.

　Machine aveugle et sourde, en cruautés féconde !
10 Salutaire instrument, buveur du sang du monde,
　Comment n'as-tu pas honte et comment n'as-tu pas
　Devant tous les miroirs vu pâlir tes appas ?
　La grandeur de ce mal où tu te crois savante
　Ne t'a donc jamais fait reculer d'épouvante,
15 Quand la nature, grande en ses desseins cachés,
　De toi se sert, ô femme, ô reine des péchés,
　— De toi, vil animal, — pour pétrir un génie ?

　Ô fangeuse grandeur ! sublime ignominie !

XXVI

SED NON SATIATA

　Bizarre déité, brune comme les nuits,
　Au parfum mélangé de musc et de havane,
　Œuvre de quelque obi[1], le Faust de la savane,
4 Sorcière au flanc d'ébène, enfant des noirs minuits,

　Je préfère au constance, à l'opium, au nuits,
　L'élixir de ta bouche où l'amour se pavane ;
　Quand vers toi mes désirs partent en caravane,
8 Tes yeux sont la citerne où boivent mes ennuis.

---

　1. Longue et large ceinture de soie japonaise.

Par ces deux grands yeux noirs, soupiraux de ton âme,
Ô démon sans pitié ! verse-moi moins de flamme ;
11 Je ne suis pas le Styx pour t'embrasser neuf fois,

Hélas ! et je ne puis, Mégère libertine,
Pour briser ton courage et te mettre aux abois,
14 Dans l'enfer de ton lit devenir Proserpine !

XXVII

Avec ses vêtements ondoyants et nacrés,
Même quand elle marche on croirait qu'elle danse,
Comme ces longs serpents que les jongleurs sacrés
4 Au bout de leurs bâtons agitent en cadence.

Comme le sable morne et l'azur des déserts,
Insensibles tous deux à l'humaine souffrance,
Comme les longs réseaux de la houle des mers,
8 Elle se développe avec indifférence.

Ses yeux polis sont faits de minéraux charmants,
Et dans cette nature étrange et symbolique
11 Où l'ange inviolé se mêle au sphinx antique,

Où tout n'est qu'or, acier, lumière et diamants,
Resplendit à jamais, comme un astre inutile,
14 La froide majesté de la femme stérile.

XXVIII

LE SERPENT QUI DANSE

Que j'aime voir, chère indolente,
  De ton corps si beau,

Comme une étoffe vacillante,
4　　Miroiter la peau !

Sur ta chevelure profonde
　　Aux âcres parfums,
Mer odorante et vagabonde
8　　Aux flots bleus et bruns,

Comme un navire qui s'éveille
　　Au vent du matin,
Mon âme rêveuse appareille
12　　Pour un ciel lointain.

Tes yeux, où rien ne se révèle
　　De doux ni d'amer,
Sont deux bijoux froids où se mêle
16　　L'or avec le fer.

À te voir marcher en cadence,
　　Belle d'abandon,
On dirait un serpent qui danse
20　　Au bout d'un bâton.

Sous le fardeau de ta paresse
　　Ta tête d'enfant
Se balance avec la mollesse
24　　D'un jeune éléphant,

Et ton corps se penche et s'allonge
　　Comme un fin vaisseau
Qui roule bord sur bord et plonge
28　　Ses vergues dans l'eau.

Comme un flot grossi par la fonte
　　Des glaciers grondants,

Quand l'eau de ta bouche remonte
32   Au bord de tes dents,

Je crois boire un vin de Bohême,
    Amer et vainqueur,
Un ciel liquide qui parsème
36   D'étoiles mon cœur !

XXIX

UNE CHAROGNE

Rappelez-vous l'objet que nous vîmes, mon âme,
        Ce beau matin d'été si doux :
Au détour d'un sentier une charogne infâme
4   Sur un lit semé de cailloux,

Les jambes en l'air, comme une femme lubrique,
        Brûlante et suant les poisons,
Ouvrait d'une façon nonchalante et cynique
8   Son ventre plein d'exhalaisons.

Le soleil rayonnait sur cette pourriture,
        Comme afin de la cuire à point,
Et de rendre au centuple à la grande Nature
12   Tout ce qu'ensemble elle avait joint ;

Et le ciel regardait la carcasse superbe
        Comme une fleur s'épanouir.
La puanteur était si forte, que sur l'herbe
16   Vous crûtes vous évanouir.

Les mouches bourdonnaient sur ce ventre putride,
        D'où sortaient de noirs bataillons

De larves, qui coulaient comme un épais liquide
20   Le long de ces vivants haillons.

Tout cela descendait, montait comme une vague,
          Ou s'élançait en petillant ;
On eût dit que le corps, enflé d'un souffle vague,
24   Vivait en se multipliant.

Et ce monde rendait une étrange musique,
          Comme l'eau courante et le vent,
Ou le grain qu'un vanneur d'un mouvement rhythmique
28   Agite et tourne dans son van [1].

Les formes s'effaçaient et n'étaient plus qu'un rêve,
          Une ébauche lente à venir,
Sur la toile oubliée, et que l'artiste achève
32   Seulement par le souvenir.

Derrière les rochers une chienne inquiète
          Nous regardait d'un œil fâché,
Épiant le moment de reprendre au squelette
36   Le morceau qu'elle avait lâché.

— Et pourtant vous serez semblable à cette ordure,
          À cette horrible infection,
Étoile de mes yeux, soleil de ma nature,
40   Vous, mon ange et ma passion !

Oui ! telle vous serez, ô la reine des grâces,
          Après les derniers sacrements,
Quand vous irez, sous l'herbe et les floraisons grasses,
44   Moisir parmi les ossements.

---

1. Panier à fond plat muni de deux anses destiné à séparer les grains de la paille.

Alors, ô ma beauté ! dites à la vermine
    Qui vous mangera de baisers,
Que j'ai gardé la forme et l'essence divine
48   De mes amours décomposés !

XXX

DE PROFUNDIS CLAMAVI[1]

J'implore ta pitié, Toi, l'unique que j'aime,
Du fond du gouffre obscur où mon cœur est tombé.
C'est un univers morne à l'horizon plombé,
4 Où nagent dans la nuit l'horreur et le blasphème ;

Un soleil sans chaleur plane au-dessus six mois,
Et les six autres mois la nuit couvre la terre ;
C'est un pays plus nu que la terre polaire ;
8 — Ni bêtes, ni ruisseaux, ni verdure, ni bois !

Or il n'est pas d'horreur au monde qui surpasse
La froide cruauté de ce soleil de glace
11 Et cette immense nuit semblable au vieux Chaos ;

Je jalouse le sort des plus vils animaux
Qui peuvent se plonger dans un sommeil stupide,
14 Tant l'écheveau du temps lentement se dévide !

---

1. Début du sixième des sept psaumes de pénitence dits lors des prières des morts.

XXXI

LE VAMPIRE

Toi qui, comme un coup de couteau,
Dans mon cœur plaintif es entrée,
Toi qui, forte comme un troupeau
4 De démons, vins, folle et parée,

De mon esprit humilié
Faire ton lit et ton domaine ;
— Infâme à qui je suis lié
8 Comme le forçat à la chaîne,

Comme au jeu le joueur têtu,
Comme à la bouteille l'ivrogne,
Comme aux vermines la charogne
12 — Maudite, maudite sois-tu !

J'ai prié le glaive rapide
De conquérir ma liberté,
Et j'ai dit au poison perfide
16 De secourir ma lâcheté.

Hélas ! le poison et le glaive
M'ont pris en dédain et m'ont dit :
« Tu n'es pas digne qu'on t'enlève
20 À ton esclavage maudit,

Imbécile ! — de son empire
Si nos efforts te délivraient,
Tes baisers ressusciteraient
24 Le cadavre de ton vampire ! »

XXXII

Une nuit que j'étais près d'une affreuse Juive,
Comme au long d'un cadavre un cadavre étendu,
Je me pris à songer près de ce corps vendu
4 À la triste beauté dont mon désir se prive.

Je me représentai sa majesté native,
Son regard de vigueur et de grâces armé,
Ses cheveux qui lui font un casque parfumé,
8 Et dont le souvenir pour l'amour me ravive.

Car j'eusse avec ferveur baisé ton noble corps,
Et depuis tes pieds frais jusqu'à tes noires tresses
11 Déroulé le trésor des profondes caresses,

Si, quelque soir, d'un pleur obtenu sans effort
Tu pouvais seulement, ô reine des cruelles !
14 Obscurcir la splendeur de tes froides prunelles.

XXXIII

REMORDS POSTHUME

Lorsque tu dormiras, ma belle ténébreuse,
Au fond d'un monument construit en marbre noir,
Et lorsque tu n'auras pour alcôve et manoir
4 Qu'un caveau pluvieux et qu'une fosse creuse ;

Quand la pierre, opprimant ta poitrine peureuse
Et tes flancs qu'assouplit un charmant nonchaloir[1],

---

1. Nonchalance, indolence, absence de hâte et de vivacité.

Empêchera ton cœur de battre et de vouloir,
8 Et tes pieds de courir leur course aventureuse,

Le tombeau, confident de mon rêve infini
(Car le tombeau toujours comprendra le poëte),
11 Durant ces grandes nuits d'où le somme est banni,

Te dira : « Que vous sert, courtisane imparfaite,
De n'avoir pas connu ce que pleurent les morts ? »
14 — Et le ver rongera ta peau comme un remords.

XXXIV

LE CHAT

Viens, mon beau chat, sur mon cœur amoureux ;
      Retiens les griffes de ta patte,
Et laisse-moi plonger dans tes beaux yeux,
4   Mêlés de métal et d'agate.

Lorsque mes doigts caressent à loisir
      Ta tête et ton dos élastique,
Et que ma main s'enivre du plaisir
8   De palper ton corps électrique,

Je vois ma femme en esprit. Son regard,
      Comme le tien, aimable bête,
11 Profond et froid, coupe et fend comme un dard,

      Et, des pieds jusques à la tête,
Un air subtil, un dangereux parfum,
14   Nagent autour de son corps brun.

XXXV

DUELLUM

Deux guerriers ont couru l'un sur l'autre ; leurs armes
Ont éclaboussé l'air de lueurs et de sang.
Ces jeux, ces cliquetis du fer sont les vacarmes
4 D'une jeunesse en proie à l'amour vagissant.

Les glaives sont brisés ! comme notre jeunesse,
Ma chère ! Mais les dents, les ongles acérés,
Vengent bientôt l'épée et la dague traîtresse.
8 — Ô fureur des cœurs mûrs par l'amour ulcérés !

Dans le ravin hanté des chats-pards[1] et des onces[2]
Nos héros, s'étreignant méchamment, ont roulé,
11 Et leur peau fleurira l'aridité des ronces.

— Ce gouffre, c'est l'enfer, de nos amis peuplé !
Roulons-y sans remords, amazone inhumaine,
14 Afin d'éterniser l'ardeur de notre haine !

XXXVI

LE BALCON

Mère des souvenirs, maîtresse des maîtresses,
Ô toi, tous mes plaisirs ! ô toi, tous mes devoirs !
Tu te rappelleras la beauté des caresses,
La douceur du foyer et le charme des soirs,
5 Mère des souvenirs, maîtresse des maîtresses !

---

1. Lynx du Portugal.
2. Variété de panthère d'Asie centrale.

Les soirs illuminés par l'ardeur du charbon,
Et les soirs au balcon, voilés de vapeurs roses.
Que ton sein m'était doux! que ton cœur m'était bon!
Nous avons dit souvent d'impérissables choses
10 Les soirs illuminés par l'ardeur du charbon.

Que les soleils sont beaux dans les chaudes soirées!
Que l'espace est profond! que le cœur est puissant!
En me penchant vers toi, reine des adorées,
Je croyais respirer le parfum de ton sang.
15 Que les soleils sont beaux dans les chaudes soirées!

La nuit s'épaississait ainsi qu'une cloison,
Et mes yeux dans le noir devinaient tes prunelles,
Et je buvais ton souffle, ô douceur! ô poison!
Et tes pieds s'endormaient dans mes mains fraternelles.
20 La nuit s'épaississait ainsi qu'une cloison.

Je sais l'art d'évoquer les minutes heureuses,
Et revis mon passé blotti dans tes genoux.
Car à quoi bon chercher tes beautés langoureuses
Ailleurs qu'en ton cher corps et qu'en ton cœur si doux?
25 Je sais l'art d'évoquer les minutes heureuses!

Ces serments, ces parfums, ces baisers infinis,
Renaîtront-ils d'un gouffre interdit à nos sondes,
Comme montent au ciel les soleils rajeunis
Après s'être lavés au fond des mers profondes?
30 — Ô serments! ô parfums! ô baisers infinis!

XXXVII

LE POSSÉDÉ

Le soleil s'est couvert d'un crêpe. Comme lui,
Ô Lune de ma vie ! emmitoufle-toi d'ombre ;
Dors ou fume à ton gré ; sois muette, sois sombre,
4 Et plonge tout entière au gouffre de l'Ennui ;

Je t'aime ainsi ! Pourtant, si tu veux aujourd'hui,
Comme un astre éclipsé qui sort de la pénombre,
Te pavaner aux lieux que la Folie encombre,
8 C'est bien ! Charmant poignard, jaillis de ton étui !

Allume ta prunelle à la flamme des lustres !
Allume le désir dans les regards des rustres !
11 Tout de toi m'est plaisir, morbide ou pétulant ;

Sois ce que tu voudras, nuit noire, rouge aurore ;
Il n'est pas une fibre en tout mon corps tremblant
14 Qui ne crie : *Ô mon cher Belzébuth, je t'adore !*

XXXVIII

UN FANTÔME

I

LES TÉNÈBRES

Dans les caveaux d'insondable tristesse
Où le Destin m'a déjà relégué ;
Où jamais n'entre un rayon rose et gai ;
4 Où, seul avec la Nuit, maussade hôtesse,

Je suis comme un peintre qu'un Dieu moqueur
Condamne à peindre, hélas ! sur les ténèbres ;
Où, cuisinier aux appétits funèbres,
8 Je fais bouillir et je mange mon cœur,

Par instants brille, et s'allonge, et s'étale
Un spectre fait de grâce et de splendeur.
11 À sa rêveuse allure orientale,

Quand il atteint sa totale grandeur,
Je reconnais ma belle visiteuse :
14 C'est Elle ! noire et pourtant lumineuse.

II

LE PARFUM

Lecteur, as-tu quelquefois respiré
Avec ivresse et lente gourmandise
Ce grain d'encens qui remplit une église,
4 Ou d'un sachet le musc invétéré[1] ?

Charme profond, magique, dont nous grise
Dans le présent le passé restauré !
Ainsi l'amant sur un corps adoré
8 Du souvenir cueille la fleur exquise.

De ses cheveux élastiques et lourds,
Vivant sachet, encensoir de l'alcôve,
11 Une senteur montait, sauvage et fauve,

Et des habits, mousseline ou velours,
Tout imprégnés de sa jeunesse pure,
14 Se dégageait un parfum de fourrure.

---

1. Parfum fortifié par son vieillissement.

III

LE CADRE

Comme un beau cadre ajoute à la peinture,
Bien qu'elle soit d'un pinceau très-vanté,
Je ne sais quoi d'étrange et d'enchanté
4 En l'isolant de l'immense nature,

Ainsi bijoux, meubles, métaux, dorure,
S'adaptaient juste à sa rare beauté ;
Rien n'offusquait sa parfaite clarté,
8 Et tout semblait lui servir de bordure.

Même on eût dit parfois qu'elle croyait
Que tout voulait l'aimer ; elle noyait
11 Sa nudité voluptueusement

Dans les baisers du satin et du linge,
Et, lente ou brusque, à chaque mouvement
14 Montrait la grâce enfantine du singe.

IV

LE PORTRAIT

La Maladie et la Mort font des cendres
De tout le feu qui pour nous flamboya.
De ces grands yeux si fervents et si tendres,
4 De cette bouche où mon cœur se noya,

De ces baisers puissants comme un dictame[1],
De ces transports plus vifs que des rayons,

---

1. Sorte d'origan, plante adoucissante, baume.

Que reste-t-il ? C'est affreux, ô mon âme !
8 Rien qu'un dessin fort pâle, aux trois crayons,

Qui, comme moi, meurt dans la solitude,
Et que le Temps, injurieux vieillard,
11 Chaque jour frotte avec son aile rude…

Noir assassin de la Vie et de l'Art,
Tu ne tueras jamais dans ma mémoire
14 Celle qui fut mon plaisir et ma gloire !

XXXIX

Je te donne ces vers afin que si mon nom
Aborde heureusement aux époques lointaines,
Et fait rêver un soir les cervelles humaines,
4 Vaisseau favorisé par un grand aquilon,

Ta mémoire, pareille aux fables incertaines,
Fatigue le lecteur ainsi qu'un tympanon,
Et par un fraternel et mystique chaînon
8 Reste comme pendue à mes rimes hautaines ;

Être maudit à qui, de l'abîme profond
Jusqu'au plus haut du ciel, rien, hors moi, ne répond !
11 — Ô toi qui, comme une ombre à la trace éphémère,

Foules d'un pied léger et d'un regard serein
Les stupides mortels qui t'ont jugée amère,
14 Statue aux yeux de jais, grand ange au front d'airain !

XL

SEMPER EADEM

« D'où vous vient, disiez-vous, cette tristesse étrange
Montant comme la mer sur le roc noir et nu ? »
— Quand notre cœur a fait une fois sa vendange,
4 Vivre est un mal. C'est un secret de tous connu,

Une douleur très-simple et non mystérieuse,
Et, comme votre joie, éclatante pour tous.
Cessez donc de chercher, ô belle curieuse !
8 Et, bien que votre voix soit douce, taisez-vous !

Taisez-vous, ignorante ! âme toujours ravie !
Bouche au rire enfantin ! Plus encor que la Vie,
11 La Mort nous tient souvent par des liens subtils.

Laissez, laissez mon cœur s'enivrer d'un *mensonge*,
Plonger dans vos beaux yeux comme dans un beau songe
14 Et sommeiller longtemps à l'ombre de vos cils !

XLI

TOUT ENTIÈRE

Le Démon, dans ma chambre haute,
Ce matin est venu me voir,
Et, tâchant à me prendre en faute,
4 Me dit : « Je voudrais bien savoir,

Parmi toutes les belles choses
Dont est fait son enchantement,

Parmi les objets noirs ou roses
8 Qui composent son corps charmant,

Quel est le plus doux. » — Ô mon âme !
Tu répondis à l'Abhorré[1] :
« Puisqu'en Elle tout est dictame,
12 Rien ne peut être préféré.

Lorsque tout me ravit, j'ignore
Si quelque chose me séduit.
Elle éblouit comme l'Aurore
16 Et console comme la Nuit ;

Et l'harmonie est trop exquise,
Qui gouverne tout son beau corps,
Pour que l'impuissante analyse
20 En note les nombreux accords ;

Ô métamorphose mystique
De tous mes sens fondus en un !
Son haleine fait la musique,
24 Comme sa voix fait le parfum ! »

XLII

Que diras-tu ce soir, pauvre âme solitaire,
Que diras-tu, mon cœur, cœur autrefois flétri,
À la très-belle, à la très-bonne, à la très-chère,
4 Dont le regard divin t'a soudain refleuri ?

— Nous mettrons notre orgueil à chanter ses louanges :
Rien ne vaut la douceur de son autorité ;

---

1. Celui qui suscite la détestation la plus forte ; le diable.

Sa chair spirituelle a le parfum des Anges,
8 Et son œil nous revêt d'un habit de clarté.

Que ce soit dans la nuit et dans la solitude,
Que ce soit dans la rue et dans la multitude,
11 Son fantôme dans l'air danse comme un flambeau.

Parfois il parle et dit : « Je suis belle, et j'ordonne
Que pour l'amour de moi vous n'aimiez que le Beau ;
14 Je suis l'Ange gardien, la Muse et la Madone. »

XLIII
LE FLAMBEAU VIVANT

Ils marchent devant moi, ces Yeux pleins de lumières,
Qu'un Ange très-savant a sans doute aimantés ;
Ils marchent, ces divins frères qui sont mes frères,
4 Secouant dans mes yeux leurs feux diamantés.

Me sauvant de tout piége et de tout péché grave,
Ils conduisent mes pas dans la route du Beau ;
Ils sont mes serviteurs et je suis leur esclave ;
8 Tout mon être obéit à ce vivant flambeau.

Charmants Yeux, vous brillez de la clarté mystique
Qu'ont les cierges brûlant en plein jour ; le soleil
11 Rougit, mais n'éteint pas leur flamme fantastique ;

Ils célèbrent la Mort, vous chantez le Réveil ;
Vous marchez en chantant le réveil de mon âme,
14 Astres dont nul soleil ne peut flétrir la flamme !

XLIV

RÉVERSIBILITÉ

Ange plein de gaieté, connaissez-vous l'angoisse,
La honte, les remords, les sanglots, les ennuis,
Et les vagues terreurs de ces affreuses nuits
Qui compriment le cœur comme un papier qu'on froisse ?
5 Ange plein de gaieté, connaissez-vous l'angoisse ?

Ange plein de bonté, connaissez-vous la haine,
Les poings crispés dans l'ombre et les larmes de fiel,
Quand la Vengeance bat son infernal rappel,
Et de nos facultés se fait le capitaine ?
10 Ange plein de bonté, connaissez-vous la haine ?

Ange plein de santé, connaissez-vous les Fièvres,
Qui, le long des grands murs de l'hospice blafard,
Comme des exilés, s'en vont d'un pied traînard,
Cherchant le soleil rare et remuant les lèvres ?
15 Ange plein de santé, connaissez-vous les Fièvres ?

Ange plein de beauté, connaissez-vous les rides,
Et la peur de vieillir, et ce hideux tourment
De lire la secrète horreur du dévouement
Dans des yeux où longtemps burent nos yeux avides,
20 Ange plein de beauté, connaissez-vous les rides ?

Ange plein de bonheur, de joie et de lumières,
David mourant aurait demandé la santé
Aux émanations de ton corps enchanté ;
Mais de toi je n'implore, ange, que tes prières,
25 Ange plein de bonheur, de joie et de lumières !

XLV

CONFESSION

Une fois, une seule, aimable et douce femme,
    À mon bras votre bras poli
S'appuya (sur le fond ténébreux de mon âme
4   Ce souvenir n'est point pâli);

Il était tard; ainsi qu'une médaille neuve
    La pleine lune s'étalait,
Et la solennité de la nuit, comme un fleuve,
8   Sur Paris dormant ruisselait.

Et le long des maisons, sous les portes cochères,
    Des chats passaient furtivement,
L'oreille au guet, ou bien, comme des ombres chères,
12   Nous accompagnaient lentement.

Tout à coup, au milieu de l'intimité libre
    Éclose à la pâle clarté,
De vous, riche et sonore instrument où ne vibre
16   Que la radieuse gaieté,

De vous, claire et joyeuse ainsi qu'une fanfare
    Dans le matin étincelant,
Une note plaintive, une note bizarre
20   S'échappa, tout en chancelant

Comme une enfant chétive, horrible, sombre, immonde,
    Dont sa famille rougirait,
Et qu'elle aurait longtemps, pour la cacher au monde,
24   Dans un caveau mise au secret.

Pauvre ange, elle chantait, votre note criarde :
　　　« Que rien ici-bas n'est certain,
Et que toujours, avec quelque soin qu'il se farde,
28　　　　Se trahit l'égoïsme humain ;

Que c'est un dur métier que d'être belle femme,
　　　Et que c'est le travail banal
De la danseuse folle et froide qui se pâme
32　　　　Dans un sourire machinal ;

Que bâtir sur les cœurs est une chose sotte ;
　　　Que tout craque, amour et beauté,
Jusqu'à ce que l'Oubli les jette dans sa hotte
36　　　　Pour les rendre à l'Éternité ! »

J'ai souvent évoqué cette lune enchantée,
　　　Ce silence et cette langueur,
Et cette confidence horrible chuchotée
40　　　　Au confessionnal du cœur.

XLVI

L'AUBE SPIRITUELLE

Quand chez les débauchés l'aube blanche et vermeille
Entre en société de l'Idéal rongeur,
Par l'opération d'un mystère vengeur
4 Dans la brute assoupie un ange se réveille.

Des Cieux Spirituels l'inaccessible azur,
Pour l'homme terrassé qui rêve encore et souffre,
S'ouvre et s'enfonce avec l'attirance du gouffre.
8 Ainsi, chère Déesse, Être lucide et pur,

Sur les débris fumeux des stupides orgies
Ton souvenir plus clair, plus rose, plus charmant,
11 À mes yeux agrandis voltige incessamment.

Le soleil a noirci la flamme des bougies ;
Ainsi, toujours vainqueur, ton fantôme est pareil,
14 Âme resplendissante, à l'immortel soleil !

XLVII

HARMONIE DU SOIR

Voici venir les temps où vibrant sur sa tige
Chaque fleur s'évapore ainsi qu'un encensoir ;
Les sons et les parfums tournent dans l'air du soir ;
4 Valse mélancolique et langoureux vertige !

Chaque fleur s'évapore ainsi qu'un encensoir ;
Le violon frémit comme un cœur qu'on afflige ;
Valse mélancolique et langoureux vertige !
8 Le ciel est triste et beau comme un grand reposoir.

Le violon frémit comme un cœur qu'on afflige,
Un cœur tendre, qui hait le néant vaste et noir !
Le ciel est triste et beau comme un grand reposoir ;
12 Le soleil s'est noyé dans son sang qui se fige.

Un cœur tendre, qui hait le néant vaste et noir,
Du passé lumineux recueille tout vestige !
Le soleil s'est noyé dans son sang qui se fige...
16 Ton souvenir en moi luit comme un ostensoir !

XLVIII
LE FLACON

Il est de forts parfums pour qui toute matière
Est poreuse. On dirait qu'ils pénètrent le verre.
En ouvrant un coffret venu de l'Orient
4 Dont la serrure grince et rechigne en criant,

Ou dans une maison déserte quelque armoire
Pleine de l'âcre odeur des temps, poudreuse et noire,
Parfois on trouve un vieux flacon qui se souvient,
8 D'où jaillit toute vive une âme qui revient.

Mille pensers dormaient chrysalides funèbres,
Frémissant doucement dans les lourdes ténèbres,
Qui dégagent leur aile et prennent leur essor,
12 Teintés d'azur, glacés de rose, lamés d'or.

Voilà le souvenir enivrant qui voltige
Dans l'air troublé ; les yeux se ferment ; le Vertige
Saisit l'âme vaincue et la pousse à deux mains
16 Vers un gouffre obscurci de miasmes humains ;

Il la terrasse au bord d'un gouffre séculaire,
Où, Lazare odorant déchirant son suaire,
Se meut dans son réveil le cadavre spectral
20 D'un vieil amour ranci, charmant et sépulcral.

Ainsi, quand je serai perdu dans la mémoire
Des hommes, dans le coin d'une sinistre armoire
Quand on m'aura jeté, vieux flacon désolé,
24 Décrépit, poudreux, sale, abject, visqueux, fêlé,

Je serai ton cercueil, aimable pestilence !
Le témoin de ta force et de ta virulence,
Cher poison préparé par les anges ! liqueur
28 Qui me ronge, ô la vie et la mort de mon cœur !

XLIX

LE POISON

Le vin sait revêtir le plus sordide bouge
   D'un luxe miraculeux,
Et fait surgir plus d'un portique fabuleux
   Dans l'or de sa vapeur rouge,
5 Comme un soleil couchant dans un ciel nébuleux.

L'opium agrandit ce qui n'a pas de bornes,
   Allonge l'illimité,
Approfondit le temps, creuse la volupté,
   Et de plaisirs noirs et mornes
10 Remplit l'âme au delà de sa capacité.

Tout cela ne vaut pas le poison qui découle
   De tes yeux, de tes yeux verts,
Lacs où mon âme tremble et se voit à l'envers...
   Mes songes viennent en foule
15 Pour se désaltérer à ces gouffres amers.

Tout cela ne vaut pas le terrible prodige
   De ta salive qui mord,
Qui plonge dans l'oubli mon âme sans remord,
   Et, charriant le vertige,
20 La roule défaillante aux rives de la mort !

L

CIEL BROUILLÉ

On dirait ton regard d'une vapeur couvert ;
Ton œil mystérieux (est-il bleu, gris ou vert ?)
Alternativement tendre, rêveur, cruel,
4 Réfléchit l'indolence et la pâleur du ciel.

Tu rappelles ces jours blancs, tièdes et voilés,
Qui font se fondre en pleurs les cœurs ensorcelés,
Quand, agités d'un mal inconnu qui les tord,
8 Les nerfs trop éveillés raillent l'esprit qui dort.

Tu ressembles parfois à ces beaux horizons
Qu'allument les soleils des brumeuses saisons...
Comme tu resplendis, paysage mouillé
12 Qu'enflamment les rayons tombant d'un ciel brouillé !

Ô femme dangereuse, ô séduisants climats !
Adorerai-je aussi ta neige et vos frimas,
Et saurai-je tirer de l'implacable hiver
16 Des plaisirs plus aigus que la glace et le fer ?

LI

LE CHAT

I

Dans ma cervelle se promène,
Ainsi qu'en son appartement,
Un beau chat, fort, doux et charmant.
4 Quand il miaule, on l'entend à peine,

Tant son timbre est tendre et discret ;
Mais que sa voix s'apaise ou gronde,
Elle est toujours riche et profonde.
8 C'est là son charme et son secret.

Cette voix, qui perle et qui filtre,
Dans mon fonds le plus ténébreux,
Me remplit comme un vers nombreux
12 Et me réjouit comme un philtre.

Elle endort les plus cruels maux
Et contient toutes les extases ;
Pour dire les plus longues phrases,
16 Elle n'a pas besoin de mots.

Non, il n'est pas d'archet qui morde
Sur mon cœur, parfait instrument,
Et fasse plus royalement
20 Chanter sa plus vibrante corde,

Que ta voix, chat mystérieux,
Chat séraphique, chat étrange,
En qui tout est, comme en un ange,
24 Aussi subtil qu'harmonieux !

II

De sa fourrure blonde et brune
Sort un parfum si doux, qu'un soir
J'en fus embaumé, pour l'avoir
28 Caressée une fois, rien qu'une.

C'est l'esprit familier du lieu ;
Il juge, il préside, il inspire

Toutes choses dans son empire ;
32 Peut-être est-il fée, est-il dieu ?

Quand mes yeux, vers ce chat que j'aime
Tirés comme par un aimant,
Se retournent docilement
36 Et que je regarde en moi-même,

Je vois avec étonnement
Le feu de ses prunelles pâles,
Clairs fanaux, vivantes opales,
40 Qui me contemplent fixement.

LII

LE BEAU NAVIRE

Je veux te raconter, ô molle enchanteresse !
Les diverses beautés qui parent ta jeunesse ;
    Je veux te peindre ta beauté,
4 Où l'enfance s'allie à la maturité.

Quand tu vas balayant l'air de ta jupe large,
Tu fais l'effet d'un beau vaisseau qui prend le large,
    Chargé de toile, et va roulant
8 Suivant un rhythme doux, et paresseux, et lent.

Sur ton cou large et rond, sur tes épaules grasses,
Ta tête se pavane avec d'étranges grâces ;
    D'un air placide et triomphant
12 Tu passes ton chemin, majestueuse enfant.

Je veux te raconter, ô molle enchanteresse !
Les diverses beautés qui parent ta jeunesse ;

Je veux te peindre ta beauté,
16 Où l'enfance s'allie à la maturité.

Ta gorge qui s'avance et qui pousse la moire,
Ta gorge triomphante est une belle armoire
      Dont les panneaux bombés et clairs
20 Comme les boucliers accrochent des éclairs ;

Boucliers provoquants, armés de pointes roses !
Armoire à doux secrets, pleine de bonnes choses,
      De vins, de parfums, de liqueurs
24 Qui feraient délirer les cerveaux et les cœurs !

Quand tu vas balayant l'air de ta jupe large,
Tu fais l'effet d'un beau vaisseau qui prend le large,
      Chargé de toile, et va roulant
28 Suivant un rhythme¹ doux, et paresseux, et lent.

Tes nobles jambes, sous les volants qu'elles chassent,
Tourmentent les désirs obscurs et les agacent,
      Comme deux sorcières qui font
32 Tourner un philtre noir dans un vase profond.

Tes bras, qui se joueraient des précoces hercules,
Sont des boas luisants les solides émules,
      Faits pour serrer obstinément,
36 Comme pour l'imprimer dans ton cœur, ton amant.

Sur ton cou large et rond, sur tes épaules grasses,
Ta tête se pavane avec d'étranges grâces ;
      D'un air placide et triomphant
40 Tu passes ton chemin, majestueuse enfant.

---

1. Orthographe ancienne de « rythme ».

LIII

L'INVITATION AU VOYAGE

Mon enfant, ma sœur,
Songe à la douceur
D'aller là-bas vivre ensemble !
Aimer à loisir
Aimer et mourir
6 Au pays qui te ressemble !
Les soleils mouillés
De ces ciels brouillés
Pour mon esprit ont les charmes
Si mystérieux
De tes traîtres yeux,
12 Brillant à travers leurs larmes.

Là, tout n'est qu'ordre et beauté,
Luxe, calme et volupté.

15   Des meubles luisants,
Polis par les ans,
Décoreraient notre chambre ;
Les plus rares fleurs
Mêlant leurs odeurs
20 Aux vagues senteurs de l'ambre,
Les riches plafonds,
Les miroirs profonds,
La splendeur orientale,
Tout y parlerait
À l'âme en secret
26 Sa douce langue natale.

Là, tout n'est qu'ordre et beauté,
Luxe, calme et volupté.

29   Vois sur ces canaux
        Dormir ces vaisseaux
Dont l'humeur est vagabonde ;
        C'est pour assouvir
        Ton moindre désir
34 Qu'ils viennent du bout du monde.
        — Les soleils couchants
        Revêtent les champs,
Les canaux, la ville entière,
        D'hyacinthe et d'or ;
        Le monde s'endort
40 Dans une chaude lumière.

Là, tout n'est qu'ordre et beauté,
Luxe, calme et volupté.

LIV

L'IRRÉPARABLE

Pouvons-nous étouffer le vieux, le long Remords,
        Qui vit, s'agite et se tortille,
Et se nourrit de nous comme le ver des morts,
        Comme du chêne la chenille ?
5 Pouvons-nous étouffer l'implacable Remords ?

Dans quel philtre, dans quel vin, dans quelle tisane,
        Noierons-nous ce vieil ennemi,
Destructeur et gourmand comme la courtisane,
        Patient comme la fourmi ?
10 Dans quel philtre ? — dans quel vin ? — dans quelle tisane ?

Dis-le, belle sorcière, oh ! dis, si tu le sais,
    À cet esprit comblé d'angoisse
Et pareil au mourant qu'écrasent les blessés,
    Que le sabot du cheval froisse,
15 Dis-le, belle sorcière, oh ! dis, si tu le sais,

À cet agonisant que le loup déjà flaire
    Et que surveille le corbeau,
À ce soldat brisé ! s'il faut qu'il désespère
    D'avoir sa croix et son tombeau ;
20 Ce pauvre agonisant que déjà le loup flaire !

Peut-on illuminer un ciel bourbeux et noir ?
    Peut-on déchirer des ténèbres
Plus denses que la poix, sans matin et sans soir,
    Sans astres, sans éclairs funèbres ?
25 Peut-on illuminer un ciel bourbeux et noir ?

L'Espérance qui brille aux carreaux de l'Auberge
    Est soufflée, est morte à jamais !
Sans lune et sans rayons, trouver où l'on héberge
    Les martyrs d'un chemin mauvais !
30 Le Diable a tout éteint aux carreaux de l'Auberge !

Adorable sorcière, aimes-tu les damnés ?
    Dis, connais-tu l'irrémissible[1] ?
Connais-tu le Remords, aux traits empoisonnés,
    À qui notre cœur sert de cible ?
35 Adorable sorcière, aimes-tu les damnés ?

L'Irréparable ronge avec sa dent maudite
    Notre âme, piteux monument,

---

1. Ce qui ne mérite pas de rémission, de pardon.

Et souvent il attaque, ainsi que le termite,
   Par la base le bâtiment.
40 L'Irréparable ronge avec sa dent maudite !

  — J'ai vu parfois, au fond d'un théâtre banal
    Qu'enflammait l'orchestre sonore,
Une fée allumer dans un ciel infernal
    Une miraculeuse aurore ;
45 J'ai vu parfois au fond d'un théâtre banal

Un être, qui n'était que lumière, or et gaze,
   Terrasser l'énorme Satan ;
Mais mon cœur, que jamais ne visite l'extase,
   Est un théâtre où l'on attend
50 Toujours, toujours en vain, l'Être aux ailes de gaze !

LV

CAUSERIE

Vous êtes un beau ciel d'automne, clair et rose !
Mais la tristesse en moi monte comme la mer,
Et laisse, en refluant, sur ma lèvre morose
4 Le souvenir cuisant de son limon amer.

  — Ta main se glisse en vain sur mon sein qui se pâme ;
Ce qu'elle cherche, amie, est un lieu saccagé
Par la griffe et la dent féroce de la femme.
8 Ne cherchez plus mon cœur ; les bêtes l'ont mangé.

Mon cœur est un palais flétri par la cohue ;
On s'y soûle, on s'y tue, on s'y prend aux cheveux !
11 — Un parfum nage autour de votre gorge nue !...

Ô Beauté, dur fléau des âmes, tu le veux !
Avec tes yeux de feu, brillants comme des fêtes,
14 Calcine ces lambeaux qu'ont épargnés les bêtes !

LVI

CHANT D'AUTOMNE

I

Bientôt nous plongerons dans les froides ténèbres ;
Adieu, vive clarté de nos étés trop courts !
J'entends déjà tomber avec des chocs funèbres
4 Le bois retentissant sur le pavé des cours.

Tout l'hiver va rentrer dans mon être : colère,
Haine, frissons, horreur, labeur dur et forcé,
Et, comme le soleil dans son enfer polaire,
8 Mon cœur ne sera plus qu'un bloc rouge et glacé.

J'écoute en frémissant chaque bûche qui tombe ;
L'échafaud qu'on bâtit n'a pas d'écho plus sourd.
Mon esprit est pareil à la tour qui succombe
12 Sous les coups du bélier infatigable et lourd.

Il me semble, bercé par ce choc monotone,
Qu'on cloue en grande hâte un cercueil quelque part.
Pour qui ? — C'était hier l'été ; voici l'automne !
16 Ce bruit mystérieux sonne comme un départ.

II

J'aime de vos longs yeux la lumière verdâtre,
Douce beauté, mais tout aujourd'hui m'est amer,

Et rien, ni votre amour, ni le boudoir, ni l'âtre,
20 Ne me vaut le soleil rayonnant sur la mer.

Et pourtant aimez-moi, tendre cœur ! soyez mère
Même pour un ingrat, même pour un méchant ;
Amante ou sœur, soyez la douceur éphémère
24 D'un glorieux automne ou d'un soleil couchant.

Courte tâche ! La tombe attend ; elle est avide !
Ah ! laissez-moi, mon front posé sur vos genoux,
Goûter, en regrettant l'été blanc et torride,
28 De l'arrière-saison, le rayon jaune et doux !

LVII

À UNE MADONE

Ex-voto dans le goût espagnol

Je veux bâtir pour toi, Madone, ma maîtresse,
Un autel souterrain au fond de ma détresse,
Et creuser dans le coin le plus noir de mon cœur,
Loin du désir mondain et du regard moqueur,
5 Une niche, d'azur et d'or tout émaillée,
Où tu te dresseras, Statue émerveillée.
Avec mes Vers polis, treillis d'un pur métal
Savamment constellé de rimes de cristal,
Je ferai pour ta tête une énorme Couronne ;
10 Et dans ma Jalousie, ô mortelle Madone,
Je saurai te tailler un Manteau, de façon
Barbare, roide et lourd, et doublé de soupçon,
Qui, comme une guérite, enfermera tes charmes ;
Non de Perles brodé, mais de toutes mes Larmes !

15 Ta Robe, ce sera mon Désir, frémissant,
Onduleux, mon Désir qui monte et qui descend,
Aux pointes se balance, aux vallons se repose,
Et revêt d'un baiser tout ton corps blanc et rose.
Je te ferai de mon Respect de beaux Souliers
20 De satin, par tes pieds divins humiliés,
Qui, les emprisonnant dans une molle étreinte,
Comme un moule fidèle en garderont l'empreinte.
Si je ne puis, malgré tout mon art diligent,
Pour Marchepied tailler une Lune d'argent,
25 Je mettrai le Serpent qui me mord les entrailles
Sous tes talons, afin que tu foules et railles,
Reine victorieuse et féconde en rachats,
Ce monstre tout gonflé de haine et de crachats.
Tu verras mes Pensers, rangés comme les Cierges
30 Devant l'autel fleuri de la Reine des Vierges,
Étoilant de reflets le plafond peint en bleu,
Te regarder toujours avec des yeux de feu ;
Et comme tout en moi te chérit et t'admire,
Tout se fera Benjoin, Encens, Oliban, Myrrhe,
35 Et sans cesse vers toi, sommet blanc et neigeux,
En Vapeurs montera mon Esprit orageux.

Enfin, pour compléter ton rôle de Marie,
Et pour mêler l'amour avec la barbarie,
Volupté noire ! des sept Péchés capitaux,
40 Bourreau plein de remords, je ferai sept Couteaux
Bien affilés, et comme un jongleur insensible,
Prenant le plus profond de ton amour pour cible,
Je les planterai tous dans ton Cœur pantelant,
Dans ton Cœur sanglotant, dans ton Cœur ruisselant !

LVIII

CHANSON D'APRÈS-MIDI

Quoique tes sourcils méchants
Te donnent un air étrange
Qui n'est pas celui d'un ange,
4 Sorcière aux yeux alléchants,

Je t'adore, ô ma frivole,
Ma terrible passion !
Avec la dévotion
8 Du prêtre pour son idole.

Le désert et la forêt
Embaument tes tresses rudes,
Ta tête a les attitudes
12 De l'énigme et du secret.

Sur ta chair le parfum rôde
Comme autour d'un encensoir ;
Tu charmes comme le soir,
16 Nymphe ténébreuse et chaude.

Ah ! les philtres les plus forts
Ne valent pas ta paresse,
Et tu connais la caresse
20 Qui fait revivre les morts !

Tes hanches sont amoureuses
De ton dos et de tes seins,
Et tu ravis les coussins
24 Par tes poses langoureuses.

Quelquefois, pour apaiser
Ta rage mystérieuse,
Tu prodigues, sérieuse,
28 La morsure et le baiser ;

Tu me déchires, ma brune,
Avec un rire moqueur,
Et puis tu mets sur mon cœur
32 Ton œil doux comme la lune.

Sous tes souliers de satin,
Sous tes charmants pieds de soie,
Moi, je mets ma grande joie,
36 Mon génie et mon destin,

Mon âme par toi guérie,
Par toi, lumière et couleur !
Explosion de chaleur
40 Dans ma noire Sibérie !

LIX

SISINA

Imaginez Diane en galant équipage,
Parcourant les forêts ou battant les halliers,
Cheveux et gorge au vent, s'enivrant de tapage,
4 Superbe et défiant les meilleurs cavaliers !

Avez-vous vu Théroigne[1], amante du carnage,
Excitant à l'assaut un peuple sans souliers,

---

1. Théroigne de Méricourt, héroïne controversée de la Révolution, qui participa avec courage aux insurrections et à la prise des Tuileries en juin 1792. Elle avait été représentée par Raffet, dont le dessin semble avoir inspiré Baudelaire.

La joue et l'œil en feu, jouant son personnage,
8 Et montant, sabre au poing, les royaux escaliers ?

Telle la Sisina ! Mais la douce guerrière
A l'âme charitable autant que meurtrière ;
11 Son courage, affolé de poudre et de tambours,

Devant les suppliants sait mettre bas les armes,
Et son cœur, ravagé par la flamme, a toujours,
14 Pour qui s'en montre digne, un réservoir de larmes.

LX

FRANCISCÆ MEÆ LAUDES

Novis te cantabo chordis,
O novelletum quod ludis
3 In solitudine cordis.

Esto sertis implicata,
O femina delicata
6 Per quam solvuntur peccata !

Sicut beneficum Lethe,
Hauriam oscula de te,
9 Quæ imbuta es magnete.

Quum vitiorum tempestas
Turbabat omnes semitas,
12 Apparuisti, Deitas,

Velut stella salutaris
In naufragiis amaris...
15 Suspendam cor tuis aris !

Piscina plena virtutis,
Fons æternæ juventutis,
18 Labris vocem redde mutis !

Quod erat spurcum, cremasti ;
Quod rudius, exæquasti ;
21 Quod debile, confirmasti.

In fame mea taberna,
In nocte mea lucerna,
24 Recte me semper guberna.

Adde nunc vires viribus,
Dulce balneum suavibus
27 Unguentatum odoribus !

Meos circa lumbos mica,
O castitatis lorica,
30 Aqua tincta seraphica ;

Patera gemmis corusca,
Panis salsus, mollis esca,
33 Divinum vinum, Francisca !

LXI

À UNE DAME CRÉOLE

Au pays parfumé que le soleil caresse,
J'ai connu, sous un dais d'arbres tout empourprés
Et de palmiers d'où pleut sur les yeux la paresse,
4 Une dame créole aux charmes ignorés.

Son teint est pâle et chaud; la brune enchanteresse
A dans le cou des airs noblement maniérés;
Grande et svelte en marchant comme une chasseresse,
8 Son sourire est tranquille et ses yeux assurés.

Si vous alliez, Madame, au vrai pays de gloire,
Sur les bords de la Seine ou de la verte Loire,
11 Belle digne d'orner les antiques manoirs,

Vous feriez, à l'abri des ombreuses retraites,
Germer mille sonnets dans le cœur des poëtes,
14 Que vos grands yeux rendraient plus soumis que vos noirs.

LXII

MŒSTA ET ERRABUNDA

Dis-moi, ton cœur parfois s'envole-t-il, Agathe,
Loin du noir océan de l'immonde cité,
Vers un autre océan où la splendeur éclate,
Bleu, clair, profond, ainsi que la virginité?
5 Dis-moi, ton cœur parfois s'envole-t-il, Agathe?

La mer, la vaste mer, console nos labeurs!
Quel démon a doté la mer, rauque chanteuse
Qu'accompagne l'immense orgue des vents grondeurs,
De cette fonction sublime de berceuse?
10 La mer, la vaste mer, console nos labeurs!

Emporte-moi, wagon! enlève-moi, frégate!
Loin! loin! ici la boue est faite de nos pleurs!
— Est-il vrai que parfois le triste cœur d'Agathe
Dise: Loin des remords, des crimes, des douleurs,
15 Emporte-moi, wagon, enlève-moi, frégate?

Comme vous êtes loin, paradis parfumé,
Où sous un clair azur tout n'est qu'amour et joie,
Où tout ce que l'on aime est digne d'être aimé,
Où dans la volupté pure le cœur se noie !
20 Comme vous êtes loin, paradis parfumé !

Mais le vert paradis des amours enfantines,
Les courses, les chansons, les baisers, les bouquets,
Les violons vibrant derrière les collines,
Avec les brocs de vin, le soir, dans les bosquets,
25 — Mais le vert paradis des amours enfantines,

L'innocent paradis, plein de plaisirs furtifs,
Est-il déjà plus loin que l'Inde et que la Chine ?
Peut-on le rappeler avec des cris plaintifs,
Et l'animer encor d'une voix argentine,
30 L'innocent paradis plein de plaisirs furtifs ?

LXIII

LE REVENANT

Comme les anges à l'œil fauve,
Je reviendrai dans ton alcôve
Et vers toi glisserai sans bruit
4 Avec les ombres de la nuit ;

Et je te donnerai, ma brune,
Des baisers froids comme la lune
Et des caresses de serpent
8 Autour d'une fosse rampant.

Quand viendra le matin livide,
Tu trouveras ma place vide,
11 Où jusqu'au soir il fera froid.

Comme d'autres par la tendresse,
Sur ta vie et sur ta jeunesse,
14 Moi, je veux régner par l'effroi.

LXIV

SONNET D'AUTOMNE

Ils me disent, tes yeux, clairs comme le cristal :
«Pour toi, bizarre amant, quel est donc mon mérite?»
— Sois charmante et tais-toi! Mon cœur, que tout irrite,
4 Excepté la candeur de l'antique animal,

Ne veut pas te montrer son secret infernal,
Berceuse dont la main aux longs sommeils m'invite,
Ni sa noire légende avec la flamme écrite.
8 Je hais la passion et l'esprit me fait mal!

Aimons-nous doucement. L'Amour dans sa guérite,
Ténébreux, embusqué, bande son arc fatal.
11 Je connais les engins de son vieil arsenal :

Crime, horreur et folie! — Ô pâle marguerite!
Comme moi n'es-tu pas un soleil automnal,
14 Ô ma si blanche, ô ma si froide Marguerite?

LXV

TRISTESSES DE LA LUNE

Ce soir, la lune rêve avec plus de paresse ;
Ainsi qu'une beauté, sur de nombreux coussins,
Qui d'une main distraite et légère caresse
4 Avant de s'endormir le contour de ses seins,

Sur le dos satiné des molles avalanches,
Mourante, elle se livre aux longues pâmoisons,
Et promène ses yeux sur les visions blanches
8 Qui montent dans l'azur comme des floraisons.

Quand parfois sur ce globe, en sa langueur oisive,
Elle laisse filer une larme furtive,
11 Un poëte pieux, ennemi du sommeil,

Dans le creux de sa main prend cette larme pâle,
Aux reflets irisés comme un fragment d'opale,
14 Et la met dans son cœur loin des yeux du soleil.

LXVI

LES CHATS

Les amoureux fervents et les savants austères
Aiment également, dans leur mûre saison,
Les chats puissants et doux, orgueil de la maison,
4 Qui comme eux sont frileux et comme eux sédentaires.

Amis de la science et de la volupté,
Ils cherchent le silence et l'horreur des ténèbres ;

L'Érèbe les eût pris pour ses coursiers funèbres,
8 S'ils pouvaient au servage incliner leur fierté.

Ils prennent en songeant les nobles attitudes
Des grands sphinx allongés au fond des solitudes,
11 Qui semblent s'endormir dans un rêve sans fin ;

Leurs reins féconds sont pleins d'étincelles magiques,
Et des parcelles d'or, ainsi qu'un sable fin,
14 Étoilent vaguement leurs prunelles mystiques.

LXVII

LES HIBOUX

Sous les ifs noirs qui les abritent,
Les hiboux se tiennent rangés,
Ainsi que des dieux étrangers,
4 Dardant leur œil rouge. Ils méditent.

Sans remuer ils se tiendront
Jusqu'à l'heure mélancolique
Où, poussant le soleil oblique,
8 Les ténèbres s'établiront.

Leur attitude au sage enseigne
Qu'il faut en ce monde qu'il craigne
11 Le tumulte et le mouvement ;

L'homme ivre d'une ombre qui passe
Porte toujours le châtiment
14 D'avoir voulu changer de place.

LXVIII

LA PIPE

Je suis la pipe d'un auteur ;
On voit, à contempler ma mine
D'Abyssinienne ou de Cafrine[1],
4 Que mon maître est un grand fumeur.

Quand il est comblé de douleur,
Je fume comme la chaumine
Où se prépare la cuisine
8 Pour le retour du laboureur.

J'enlace et je berce son âme
Dans le réseau mobile et bleu
11 Qui monte de ma bouche en feu,

Et je roule un puissant dictame
Qui charme son cœur et guérit
14 De ses fatigues son esprit.

LXIX

LA MUSIQUE

La musique souvent me prend comme une mer !
        Vers ma pâle étoile,
Sous un plafond de brume ou dans un vaste éther,
4   Je mets à la voile ;

---

1. Appartenant à une ethnie noire d'Afrique australe.

La poitrine en avant et les poumons gonflés
　　　　Comme de la toile,
J'escalade le dos des flots amoncelés
8　　　　　Que la nuit me voile;

Je sens vibrer en moi toutes les passions
　　　　D'un vaisseau qui souffre;
11 Le bon vent, la tempête et ses convulsions

　　　　　Sur l'immense gouffre
Me bercent. D'autres fois, calme plat, grand miroir
14　　　　De mon désespoir!

LXX

SÉPULTURE

Si par une nuit lourde et sombre
Un bon chrétien, par charité,
Derrière quelque vieux décombre
4 Enterre votre corps vanté,

À l'heure où les chastes étoiles
Ferment leurs yeux appesantis,
L'araignée y fera ses toiles,
8 Et la vipère ses petits;

Vous entendez toute l'année
Sur votre tête condamnée
11 Les cris lamentables des loups

Et des sorcières faméliques,
Les ébats des vieillards lubriques
14 Et les complots des noirs filous.

LXXI

UNE GRAVURE FANTASTIQUE

Ce spectre singulier n'a pour toute toilette,
Grotesquement campé sur son front de squelette,
Qu'un diadème affreux sentant le carnaval.
Sans éperons, sans fouet, il essouffle un cheval,
5 Fantôme comme lui, rosse apocalyptique,
Qui bave des naseaux comme un épileptique.
Au travers de l'espace ils s'enfoncent tous deux,
Et foulent l'infini d'un sabot hasardeux.
Le cavalier promène un sabre qui flamboie
10 Sur les foules sans nom que sa monture broie,
Et parcourt, comme un prince inspectant sa maison,
Le cimetière immense et froid, sans horizon,
Où gisent, aux lueurs d'un soleil blanc et terne,
Les peuples de l'histoire ancienne et moderne.

LXXII

LE MORT JOYEUX

Dans une terre grasse et pleine d'escargots
Je veux creuser moi-même une fosse profonde,
Où je puisse à loisir étaler mes vieux os
4 Et dormir dans l'oubli comme un requin dans l'onde.

Je hais les testaments et je hais les tombeaux ;
Plutôt que d'implorer une larme du monde,
Vivant, j'aimerais mieux inviter les corbeaux
8 À saigner tous les bouts de ma carcasse immonde.

Ô vers ! noirs compagnons sans oreille et sans yeux,
Voyez venir à vous un mort libre et joyeux ;
11 Philosophes viveurs, fils de la pourriture,

À travers ma ruine allez donc sans remords,
Et dites-moi s'il est encor quelque torture
14 Pour ce vieux corps sans âme et mort parmi les morts !

LXXIII

LE TONNEAU DE LA HAINE

La Haine est le tonneau des pâles Danaïdes [1] ;
La Vengeance éperdue aux bras rouges et forts
A beau précipiter dans ses ténèbres vides
4 De grands seaux pleins du sang et des larmes des morts,

Le Démon fait des trous secrets à ces abîmes,
Par où fuiraient mille ans de sueurs et d'efforts,
Quand même elle saurait ranimer ses victimes,
8 Et pour les pressurer ressusciter leurs corps.

La Haine est un ivrogne au fond d'une taverne,
Qui sent toujours la soif naître de la liqueur
11 Et se multiplier comme l'hydre de Lerne.

— Mais les buveurs heureux connaissent leur vainqueur,
Et la Haine est vouée à ce sort lamentable
14 De ne pouvoir jamais s'endormir sous la table.

---

1. Filles de Danaos. Ayant égorgé leurs époux la nuit même des
noces, elles sont précipitées dans le Tartare et condamnées à remplir
éternellement un tonneau sans fond.

LXXIV

LA CLOCHE FÊLÉE

Il est amer et doux, pendant les nuits d'hiver,
D'écouter, près du feu qui palpite et qui fume,
Les souvenirs lointains lentement s'élever
4 Au bruit des carillons qui chantent dans la brume.

Bienheureuse la cloche au gosier vigoureux
Qui, malgré sa vieillesse, alerte et bien portante,
Jette fidèlement son cri religieux,
8 Ainsi qu'un vieux soldat qui veille sous la tente !

Moi, mon âme est fêlée, et lorsqu'en ses ennuis
Elle veut de ses chants peupler l'air froid des nuits,
11 Il arrive souvent que sa voix affaiblie

Semble le râle épais d'un blessé qu'on oublie
Au bord d'un lac de sang, sous un grand tas de morts,
14 Et qui meurt, sans bouger, dans d'immenses efforts.

LXXV

SPLEEN

Pluviôse[1], irrité contre la ville entière,
De son urne à grands flots verse un froid ténébreux
Aux pâles habitants du voisin cimetière
4 Et la mortalité sur les faubourgs brumeux.

---

1. Mois du calendrier révolutionnaire, entre le 20 janvier et le
19 février.

Mon chat sur le carreau cherchant une litière
Agite sans repos son corps maigre et galeux ;
L'âme d'un vieux poëte erre dans la gouttière
8 Avec la triste voix d'un fantôme frileux.

Le bourdon se lamente, et la bûche enfumée
Accompagne en fausset la pendule enrhumée,
11 Cependant qu'en un jeu plein de sales parfums,

Héritage fatal d'une vieille hydropique,
Le beau valet de cœur et la dame de pique
14 Causent sinistrement de leurs amours défunts.

LXXVI

SPLEEN

J'ai plus de souvenirs que si j'avais mille ans.

Un gros meuble à tiroirs encombré de bilans,
De vers, de billets doux, de procès, de romances,
Avec de lourds cheveux roulés dans des quittances,
5 Cache moins de secrets que mon triste cerveau.
C'est une pyramide, un immense caveau,
Qui contient plus de morts que la fosse commune.
— Je suis un cimetière abhorré de la lune,
Où comme des remords se traînent de longs vers
10 Qui s'acharnent toujours sur mes morts les plus chers.
Je suis un vieux boudoir plein de roses fanées,
Où gît tout un fouillis de modes surannées,
Où les pastels plaintifs et les pâles Boucher [1],
Seuls, respirent l'odeur d'un flacon débouché.

---

1. Toiles peintes par François Boucher (1703-1778), maître de la peinture rococo.

15 Rien n'égale en longueur les boiteuses journées,
   Quand sous les lourds flocons des neigeuses années
   L'ennui, fruit de la morne incuriosité,
   Prend les proportions de l'immortalité.
   — Désormais tu n'es plus, ô matière vivante !
20 Qu'un granit entouré d'une vague épouvante,
   Assoupi dans le fond d'un Saharah brumeux ;
   Un vieux sphinx ignoré du monde insoucieux,
   Oublié sur la carte, et dont l'humeur farouche
   Ne chante qu'aux rayons du soleil qui se couche.

LXXVII

SPLEEN

Je suis comme le roi d'un pays pluvieux,
Riche, mais impuissant, jeune et pourtant très-vieux,
Qui, de ses précepteurs méprisant les courbettes,
S'ennuie avec ses chiens comme avec d'autres bêtes.
5 Rien ne peut l'égayer, ni gibier, ni faucon,
Ni son peuple mourant en face du balcon.
Du bouffon favori la grotesque ballade
Ne distrait plus le front de ce cruel malade ;
Son lit fleurdelisé se transforme en tombeau,
10 Et les dames d'atour, pour qui tout prince est beau,
Ne savent plus trouver d'impudique toilette
Pour tirer un souris de ce jeune squelette.
Le savant qui lui fait de l'or n'a jamais pu
De son être extirper l'élément corrompu,
15 Et dans ces bains de sang qui des Romains nous viennent,
Et dont sur leurs vieux jours les puissants se souviennent,
Il n'a su réchauffer ce cadavre hébété
Où coule au lieu de sang l'eau verte du Léthé.

LXXVIII

SPLEEN

Quand le ciel bas et lourd pèse comme un couvercle
Sur l'esprit gémissant en proie aux longs ennuis,
Et que de l'horizon embrassant tout le cercle
4 Il nous verse un jour noir plus triste que les nuits ;

Quand la terre est changée en un cachot humide,
Où l'Espérance, comme une chauve-souris,
S'en va battant les murs de son aile timide
8 Et se cognant la tête à des plafonds pourris ;

Quand la pluie étalant ses immenses traînées
D'une vaste prison imite les barreaux,
Et qu'un peuple muet d'infâmes araignées
12 Vient tendre ses filets au fond de nos cerveaux,

Des cloches tout à coup sautent avec furie
Et lancent vers le ciel un affreux hurlement,
Ainsi que des esprits errants et sans patrie
16 Qui se mettent à geindre opiniâtrement.

— Et de longs corbillards, sans tambours ni musique,
Défilent lentement dans mon âme ; l'Espoir,
Vaincu, pleure, et l'Angoisse atroce, despotique,
20 Sur mon crâne incliné plante son drapeau noir.

LXXIX

OBSESSION

Grands bois, vous m'effrayez comme des cathédrales ;
Vous hurlez comme l'orgue ; et dans nos cœurs maudits,
Chambres d'éternel deuil où vibrent de vieux râles,
4 Répondent les échos de vos *De profundis*.

Je te hais, Océan ! tes bonds et tes tumultes,
Mon esprit les retrouve en lui ; ce rire amer
De l'homme vaincu, plein de sanglots et d'insultes,
8 Je l'entends dans le rire énorme de la mer.

Comme tu me plairais, ô nuit ! sans ces étoiles
Dont la lumière parle un langage connu !
11 Car je cherche le vide, et le noir, et le nu !

Mais les ténèbres sont elles-mêmes des toiles
Où vivent, jaillissant de mon œil par milliers,
14 Des êtres disparus aux regards familiers.

LXXX

LE GOÛT DU NÉANT

Morne esprit, autrefois amoureux de la lutte,
L'Espoir, dont l'éperon attisait ton ardeur,
Ne veut plus t'enfourcher ! Couche-toi sans pudeur,
Vieux cheval dont le pied à chaque obstacle bute.

5 Résigne-toi, mon cœur ; dors ton sommeil de brute.

Esprit vaincu, fourbu ! Pour toi, vieux maraudeur,
L'amour n'a plus de goût, non plus que la dispute ;
Adieu donc, chants du cuivre et soupirs de la flûte !
Plaisirs, ne tentez plus un cœur sombre et boudeur !

10 Le Printemps adorable a perdu son odeur !

Et le Temps m'engloutit minute par minute,
Comme la neige immense un corps pris de roideur ;
Je contemple d'en haut le globe en sa rondeur
Et je n'y cherche plus l'abri d'une cahute.

15 Avalanche, veux-tu m'emporter dans ta chute ?

LXXXI

ALCHIMIE DE LA DOULEUR

L'un t'éclaire avec son ardeur,
L'autre en toi met son deuil, Nature !
Ce qui dit à l'un : Sépulture !
4 Dit à l'autre : Vie et splendeur !

Hermès inconnu qui m'assistes
Et qui toujours m'intimidas,
Tu me rends l'égal de Midas,
8 Le plus triste des alchimistes ;

Par toi je change l'or en fer
Et le paradis en enfer ;
11 Dans le suaire des nuages

Je découvre un cadavre cher,
Et sur les célestes rivages
14 Je bâtis de grands sarcophages.

LXXXII

HORREUR SYMPATHIQUE

De ce ciel bizarre et livide,
Tourmenté comme ton destin,
Quels pensers dans ton âme vide
4 Descendent ? réponds, libertin.

— Insatiablement avide
De l'obscur et de l'incertain,
Je ne geindrai pas comme Ovide
8 Chassé du paradis latin.

Cieux déchirés comme des grèves,
En vous se mire mon orgueil ;
11 Vos vastes nuages en deuil

Sont les corbillards de mes rêves,
Et vos lueurs sont le reflet
14 De l'Enfer où mon cœur se plaît.

LXXXIII

L'HÉAUTONTIMOROUMÉNOS[1]

À J. G. F.

Je te frapperai sans colère
Et sans haine, comme un boucher,

---

1. En grec, celui qui se châtie lui-même ; le bourreau de soi-même.

Comme Moïse le rocher !
4 Et je ferai de ta paupière,

Pour abreuver mon Saharah,
Jaillir les eaux de la souffrance.
Mon désir gonflé d'espérance
8 Sur tes pleurs salés nagera

Comme un vaisseau qui prend le large,
Et dans mon cœur qu'ils soûleront
Tes chers sanglots retentiront
12 Comme un tambour qui bat la charge !

Ne suis-je pas un faux accord
Dans la divine symphonie,
Grâce à la vorace Ironie
16 Qui me secoue et qui me mord ?

Elle est dans ma voix, la criarde !
C'est tout mon sang, ce poison noir !
Je suis le sinistre miroir
20 Où la mégère se regarde !

Je suis la plaie et le couteau !
Je suis le soufflet et la joue !
Je suis les membres et la roue,
24 Et la victime et le bourreau !

Je suis de mon cœur le vampire,
— Un de ces grands abandonnés
Au rire éternel condamnés,
28 Et qui ne peuvent plus sourire !

LXXXIV

L'IRREMÉDIABLE

I

Une Idée, une Forme, un Être
Parti de l'azur et tombé
Dans un Styx bourbeux et plombé
4 Où nul œil du Ciel ne pénètre;

Un Ange, imprudent voyageur
Qu'a tenté l'amour du difforme,
Au fond d'un cauchemar énorme
8 Se débattant comme un nageur,

Et luttant, angoisses funèbres!
Contre un gigantesque remous
Qui va chantant comme les fous
12 Et pirouettant dans les ténèbres;

Un malheureux ensorcelé
Dans ses tâtonnements futiles,
Pour fuir d'un lieu plein de reptiles,
16 Cherchant la lumière et la clé;

Un damné descendant sans lampe,
Au bord d'un gouffre dont l'odeur
Trahit l'humide profondeur,
20 D'éternels escaliers sans rampe,

Où veillent des monstres visqueux
Dont les larges yeux de phosphore
Font une nuit plus noire encore
24 Et ne rendent visibles qu'eux;

Un navire pris dans le pôle,
Comme en un piége de cristal,
Cherchant par quel détroit fatal
28 Il est tombé dans cette geôle ;

— Emblèmes nets, tableau parfait
D'une fortune irrémédiable,
Qui donne à penser que le Diable
32 Fait toujours bien tout ce qu'il fait !

II

Tête-à-tête sombre et limpide
Qu'un cœur devenu son miroir !
Puits de Vérité, clair et noir,
36 Où tremble une étoile livide,

Un phare ironique, infernal,
Flambeau des grâces sataniques,
Soulagement et gloire uniques,
40 — La conscience dans le Mal !

LXXXV

L'HORLOGE

Horloge ! dieu sinistre, effrayant, impassible,
Dont le doigt nous menace et nous dit : « *Souviens-toi !*
Les vibrantes Douleurs dans ton cœur plein d'effroi
4 Se planteront bientôt comme dans une cible ;

Le Plaisir vaporeux fuira vers l'horizon
Ainsi qu'une sylphide au fond de la coulisse ;

Chaque instant te dévore un morceau du délice
8 À chaque homme accordé pour toute sa saison.

Trois mille six cents fois par heure, la Seconde
Chuchote : *Souviens-toi !* — Rapide, avec sa voix
D'insecte, Maintenant dit : Je suis Autrefois,
12 Et j'ai pompé ta vie avec ma trompe immonde !

Remember ! Souviens-toi ! prodigue ! *Esto memor !*
(Mon gosier de métal parle toutes les langues.)
Les minutes, mortel folâtre, sont des gangues
16 Qu'il ne faut pas lâcher sans en extraire l'or !

Souviens-toi que le Temps est un joueur avide
Qui gagne sans tricher, à tout coup ! c'est la loi.
Le jour décroît ; la nuit augmente ; *souviens-toi !*
20 Le gouffre a toujours soif ; la clepsydre se vide.

Tantôt sonnera l'heure où le divin Hasard,
Où l'auguste Vertu, ton épouse encor vierge,
Où le Repentir même (oh ! la dernière auberge !),
24 Où tout te dira : Meurs, vieux lâche ! il est trop tard ! »

Spleen et Idéal

Tableaux parisiens

LXXXVI

PAYSAGE

Je veux, pour composer chastement mes églogues,
Coucher auprès du ciel, comme les astrologues,
Et, voisin des clochers, écouter en rêvant
Leurs hymnes solennels emportés par le vent.
5 Les deux mains au menton, du haut de ma mansarde,
Je verrai l'atelier qui chante et qui bavarde ;
Les tuyaux, les clochers, ces mâts de la cité,
Et les grands ciels qui font rêver d'éternité.

Il est doux, à travers les brumes, de voir naître
10 L'étoile dans l'azur, la lampe à la fenêtre,
Les fleuves de charbon monter au firmament
Et la lune verser son pâle enchantement.
Je verrai les printemps, les étés, les automnes ;
Et quand viendra l'hiver aux neiges monotones,
15 Je fermerai partout portières et volets
Pour bâtir dans la nuit mes féeriques palais.
Alors je rêverai des horizons bleuâtres,
Des jardins, des jets d'eau pleurant dans les albâtres,
Des baisers, des oiseaux chantant soir et matin,

20 Et tout ce que l'Idylle a de plus enfantin.
   L'Émeute, tempêtant vainement à ma vitre,
   Ne fera pas lever mon front de mon pupitre ;
   Car je serai plongé dans cette volupté
   D'évoquer le Printemps avec ma volonté,
25 De tirer un soleil de mon cœur, et de faire
   De mes pensers brûlants une tiède atmosphère.

LXXXVII

LE SOLEIL

Le long du vieux faubourg, où pendent aux masures
Les persiennes, abri des secrètes luxures,
Quand le soleil cruel frappe à traits redoublés
Sur la ville et les champs, sur les toits et les blés,
5 Je vais m'exercer seul à ma fantasque escrime,
Flairant dans tous les coins les hasards de la rime,
Trébuchant sur les mots comme sur les pavés,
Heurtant parfois des vers depuis longtemps rêvés.

Ce père nourricier, ennemi des chloroses,
10 Éveille dans les champs les vers comme les roses ;
Il fait s'évaporer les soucis vers le ciel,
Et remplit les cerveaux et les ruches de miel.
C'est lui qui rajeunit les porteurs de béquilles
Et les rend gais et doux comme des jeunes filles,
15 Et commande aux moissons de croître et de mûrir
Dans le cœur immortel qui toujours veut fleurir !

Quand, ainsi qu'un poëte, il descend dans les villes,
Il ennoblit le sort des choses les plus viles,
Et s'introduit en roi, sans bruit et sans valets,
20 Dans tous les hôpitaux et dans tous les palais.

LXXXVIII

À UNE MENDIANTE ROUSSE

Blanche fille aux cheveux roux,
Dont la robe par ses trous
Laisse voir la pauvreté
4   Et la beauté,

Pour moi, poëte chétif,
Ton jeune corps maladif,
Plein de taches de rousseur,
8   A sa douceur.

Tu portes plus galamment
Qu'une reine de roman
Ses cothurnes de velours
12   Tes sabots lourds.

Au lieu d'un haillon trop court,
Qu'un superbe habit de cour
Traîne à plis bruyants et longs
16   Sur tes talons;

En place de bas troués,
Que pour les yeux des roués
Sur ta jambe un poignard d'or
20   Reluise encor;

Que des nœuds mal attachés
Dévoilent pour nos péchés
Tes deux beaux seins, radieux
24   Comme des yeux;

Que pour te déshabiller
Tes bras se fassent prier
Et chassent à coups mutins
28   Les doigts lutins,

Perles de la plus belle eau,
Sonnets de maître Belleau [1]
Par tes galants mis aux fers
32   Sans cesse offerts,

Valetaille de rimeurs
Te dédiant leurs primeurs
Et contemplant ton soulier
36   Sous l'escalier,

Maint page épris du hasard,
Maint seigneur et maint Ronsard
Épieraient pour le déduit
40   Ton frais réduit !

Tu compterais dans tes lits
Plus de baisers que de lis
Et rangerais sous tes lois
44   Plus d'un Valois !

— Cependant tu vas gueusant
Quelque vieux débris gisant
Au seuil de quelque Véfour [2]
48   De carrefour ;

---

1. Rémi Belleau (1528-1577) : poète membre de la Pléiade, auteur des *Amours et nouveaux échanges de pierres précieuses*, inspiré de l'Antiquité.
2. Nom d'un restaurant de la fin du XVIIIᵉ siècle situé à Paris au Palais-Royal.

Tu vas lorgnant en dessous
Des bijoux de vingt-neuf sous
Dont je ne puis, oh! pardon!
52   Te faire don.

Va donc, sans autre ornement,
Parfum, perles, diamant,
Que ta maigre nudité,
56   Ô ma beauté!

LXXXIX

LE CYGNE

À Victor Hugo.

I

Andromaque, je pense à vous! Ce petit fleuve,
Pauvre et triste miroir où jadis resplendit
L'immense majesté de vos douleurs de veuve,
4 Ce Simoïs menteur qui par vos pleurs grandit,

A fécondé soudain ma mémoire fertile,
Comme je traversais le nouveau Carrousel.
Le vieux Paris n'est plus (la forme d'une ville
8 Change plus vite, hélas! que le cœur d'un mortel);

Je ne vois qu'en esprit tout ce camp de baraques,
Ces tas de chapiteaux ébauchés et de fûts,
Les herbes, les gros blocs verdis par l'eau des flaques,
12 Et, brillant aux carreaux, le bric-à-brac confus.

Là s'étalait jadis une ménagerie ;
Là je vis, un matin, à l'heure où sous les cieux
Froids et clairs le Travail s'éveille, où la voirie
16 Pousse un sombre ouragan dans l'air silencieux,

Un cygne qui s'était évadé de sa cage,
Et, de ses pieds palmés frottant le pavé sec,
Sur le sol raboteux traînait son blanc plumage.
20 Près d'un ruisseau sans eau la bête ouvrant le bec

Baignait nerveusement ses ailes dans la poudre,
Et disait, le cœur plein de son beau lac natal :
« Eau, quand donc pleuvras-tu ? quand tonneras-tu, foudre ? »
24 Je vois ce malheureux, mythe étrange et fatal,

Vers le ciel quelquefois, comme l'homme d'Ovide,
Vers le ciel ironique et cruellement bleu,
Sur son cou convulsif tendant sa tête avide,
28 Comme s'il adressait des reproches à Dieu !

II

Paris change ! mais rien dans ma mélancolie
N'a bougé ! palais neufs, échafaudages, blocs,
Vieux faubourgs, tout pour moi devient allégorie,
32 Et mes chers souvenirs sont plus lourds que des rocs.

Aussi devant ce Louvre une image m'opprime :
Je pense à mon grand cygne, avec ses gestes fous,
Comme les exilés, ridicule et sublime,
36 Et rongé d'un désir sans trêve ! et puis à vous,

Andromaque, des bras d'un grand époux tombée,
Vil bétail, sous la main du superbe Pyrrhus,

Auprès d'un tombeau vide en extase courbée;
40 Veuve d'Hector, hélas! et femme d'Hélénus!

Je pense à la négresse, amaigrie et phthisique,
Piétinant dans la boue, et cherchant, l'œil hagard,
Les cocotiers absents de la superbe Afrique
44 Derrière la muraille immense du brouillard;

À quiconque a perdu ce qui ne se retrouve
Jamais, jamais! à ceux qui s'abreuvent de pleurs
Et tettent la Douleur comme une bonne louve!
48 Aux maigres orphelins séchant comme des fleurs!

Ainsi dans la forêt où mon esprit s'exile
Un vieux Souvenir sonne à plein souffle du cor!
Je pense aux matelots oubliés dans une île,
52 Aux captifs, aux vaincus!... à bien d'autres encor!

XC

LES SEPT VIEILLARDS

À Victor Hugo.

Fourmillante cité, cité pleine de rêves,
Où le spectre en plein jour raccroche le passant!
Les mystères partout coulent comme des sèves
4 Dans les canaux étroits du colosse puissant.

Un matin, cependant que dans la triste rue
Les maisons, dont la brume allongeait la hauteur,
Simulaient les deux quais d'une rivière accrue,
8 Et que, décor semblable à l'âme de l'acteur,

Un brouillard sale et jaune inondait tout l'espace,
Je suivais, roidissant mes nerfs comme un héros
Et discutant avec mon âme déjà lasse,
12 Le faubourg secoué par les lourds tombereaux.

Tout à coup, un vieillard dont les guenilles jaunes
Imitaient la couleur de ce ciel pluvieux,
Et dont l'aspect aurait fait pleuvoir les aumônes,
16 Sans la méchanceté qui luisait dans ses yeux,

M'apparut. On eût dit sa prunelle trempée
Dans le fiel ; son regard aiguisait les frimas,
Et sa barbe à longs poils, roide comme une épée
20 Se projetait, pareille à celle de Judas.

Il n'était pas voûté, mais cassé, son échine
Faisant avec sa jambe un parfait angle droit,
Si bien que son bâton, parachevant sa mine,
24 Lui donnait la tournure et le pas maladroit

D'un quadrupède infirme ou d'un juif à trois pattes.
Dans la neige et la boue il allait s'empêtrant,
Comme s'il écrasait des morts sous ses savates,
28 Hostile à l'univers plutôt qu'indifférent.

Son pareil le suivait : barbe, œil, dos, bâton, loques,
Nul trait ne distinguait, du même enfer venu,
Ce jumeau centenaire, et ces spectres baroques
32 Marchaient du même pas vers un but inconnu.

À quel complot infâme étais-je donc en butte,
Ou quel méchant hasard ainsi m'humiliait ?
Car je comptai sept fois, de minute en minute,
36 Ce sinistre vieillard qui se multipliait !

Que celui-là qui rit de mon inquiétude,
Et qui n'est pas saisi d'un frisson fraternel,
Songe bien que malgré tant de décrépitude
40 Ces sept monstres hideux avaient l'air éternel !

Aurais-je, sans mourir, contemplé le huitième,
Sosie inexorable, ironique et fatal,
Dégoûtant Phénix, fils et père de lui-même ?
44 — Mais je tournai le dos au cortége infernal.

Exaspéré comme un ivrogne qui voit double,
Je rentrai, je fermai ma porte, épouvanté,
Malade et morfondu, l'esprit fiévreux et trouble,
48 Blessé par le mystère et par l'absurdité !

Vainement ma raison voulait prendre la barre ;
La tempête en jouant déroutait ses efforts,
Et mon âme dansait, dansait, vieille gabarre[1]
52 Sans mâts, sur une mer monstrueuse et sans bords !

XCI

LES PETITES VIEILLES

À Victor Hugo.

I

Dans les plis sinueux des vieilles capitales,
Où tout, même l'horreur, tourne aux enchantements,

---

1. Vieille embarcation à fond plat destinée au transport des marchandises.

Je guette, obéissant à mes humeurs fatales,
4 Des êtres singuliers, décrépits et charmants.

Ces monstres disloqués furent jadis des femmes,
Éponine[1] ou Laïs[2] ! Monstres brisés, bossus
Ou tordus, aimons-les ! ce sont encor des âmes.
8 Sous des jupons troués et sous de froids tissus

Ils rampent, flagellés par les bises iniques,
Frémissant au fracas roulant des omnibus,
Et serrant sur leur flanc, ainsi que des reliques,
12 Un petit sac brodé de fleurs ou de rébus ;

Ils trottent, tout pareils à des marionnettes ;
Se traînent, comme font les animaux blessés,
Ou dansent, sans vouloir danser, pauvres sonnettes
16 Où se pend un Démon sans pitié ! Tout cassés

Qu'ils sont, ils ont des yeux perçants comme une vrille,
Luisants comme ces trous où l'eau dort dans la nuit ;
Ils ont les yeux divins de la petite fille
20 Qui s'étonne et qui rit à tout ce qui reluit.

— Avez-vous observé que maints cercueils de vieilles
Sont presque aussi petits que celui d'un enfant ?
La Mort savante met dans ces bières pareilles
24 Un symbole d'un goût bizarre et captivant,

Et lorsque j'entrevois un fantôme débile
Traversant de Paris le fourmillant tableau,
Il me semble toujours que cet être fragile
28 S'en va tout doucement vers un nouveau berceau ;

---

1. Héroïne gauloise, femme de Julius Sabinius, qu'elle suivit dans la mort.
2. Courtisane antique.

À moins que, méditant sur la géométrie,
Je ne cherche, à l'aspect de ces membres discords,
Combien de fois il faut que l'ouvrier varie
32   La forme de la boîte où l'on met tous ces corps.

— Ces yeux sont des puits faits d'un million de larmes,
Des creusets qu'un métal refroidi pailleta...
Ces yeux mystérieux ont d'invincibles charmes
36   Pour celui que l'austère Infortune allaita !

II

De Frascati[1] défunt Vestale enamourée ;
Prêtresse de Thalie, hélas ! dont le souffleur
Enterré sait le nom ; célèbre évaporée
40   Que Tivoli jadis ombragea dans sa fleur,

Toutes m'enivrent ! mais parmi ces êtres frêles
Il en est qui, faisant de la douleur un miel,
Ont dit au Dévouement qui leur prêtait ses ailes :
44   Hippogriffe puissant, mène-moi jusqu'au ciel !

L'une, par sa patrie au malheur exercée,
L'autre, que son époux surchargea de douleurs,
L'autre, par son enfant Madone transpercée,
48   Toutes auraient pu faire un fleuve avec leurs pleurs !

III

Ah ! que j'en ai suivi de ces petites vieilles !
Une, entre autres, à l'heure où le soleil tombant

---

1. Frascati était propriétaire, à Naples, d'un salon possédant salles
de jeux et de bal.

Ensanglante le ciel de blessures vermeilles,
52 Pensive, s'asseyait à l'écart sur un banc,

Pour entendre un de ces concerts, riches de cuivre,
Dont les soldats parfois inondent nos jardins,
Et qui, dans ces soirs d'or où l'on se sent revivre,
56 Versent quelque héroïsme au cœur des citadins.

Celle-là, droite encor, fière et sentant la règle,
Humait avidement ce chant vif et guerrier ;
Son œil parfois s'ouvrait comme l'œil d'un vieil aigle ;
60 Son front de marbre avait l'air fait pour le laurier !

IV

Telles vous cheminez, stoïques et sans plaintes,
À travers le chaos des vivantes cités,
Mères au cœur saignant, courtisanes ou saintes,
64 Dont autrefois les noms par tous étaient cités.

Vous qui fûtes la grâce ou qui fûtes la gloire,
Nul ne vous reconnaît ! un ivrogne incivil
Vous insulte en passant d'un amour dérisoire ;
68 Sur vos talons gambade un enfant lâche et vil.

Honteuses d'exister, ombres ratatinées,
Peureuses, le dos bas, vous côtoyez les murs ;
Et nul ne vous salue, étranges destinées !
72 Débris d'humanité pour l'éternité mûrs !

Mais moi, moi qui de loin tendrement vous surveille,
L'œil inquiet, fixé sur vos pas incertains,
Tout comme si j'étais votre père, ô merveille !
76 Je goûte à votre insu des plaisirs clandestins :

Je vois s'épanouir vos passions novices ;
Sombres ou lumineux, je vis vos jours perdus ;
Mon cœur multiplié jouit de tous vos vices !
80 Mon âme resplendit de toutes vos vertus !

Ruines ! ma famille ! ô cerveaux congénères !
Je vous fais chaque soir un solennel adieu !
Où serez-vous demain, Èves octogénaires,
84 Sur qui pèse la griffe effroyable de Dieu ?

XCII

LES AVEUGLES

Contemple-les, mon âme ; ils sont vraiment affreux !
Pareils aux mannequins ; vaguement ridicules ;
Terribles, singuliers comme les somnambules ;
4 Dardant on ne sait où leurs globes ténébreux.

Leurs yeux, d'où la divine étincelle est partie,
Comme s'ils regardaient au loin, restent levés
Au ciel ; on ne les voit jamais vers les pavés
8 Pencher rêveusement leur tête appesantie.

Ils traversent ainsi le noir illimité,
Ce frère du silence éternel. Ô cité !
11 Pendant qu'autour de nous tu chantes, ris et beugles,

Éprise du plaisir jusqu'à l'atrocité,
Vois ! je me traîne aussi ! mais, plus qu'eux hébété,
14 Je dis : Que cherchent-ils au Ciel, tous ces aveugles ?

XCIII

À UNE PASSANTE

La rue assourdissante autour de moi hurlait.
Longue, mince, en grand deuil, douleur majestueuse,
Une femme passa, d'une main fastueuse
4 Soulevant, balançant le feston et l'ourlet;

Agile et noble, avec sa jambe de statue.
Moi, je buvais, crispé comme un extravagant[1],
Dans son œil, ciel livide où germe l'ouragan,
8 La douceur qui fascine et le plaisir qui tue.

Un éclair... puis la nuit! — Fugitive beauté
Dont le regard m'a fait soudainement renaître,
11 Ne te verrai-je plus que dans l'éternité?

Ailleurs, bien loin d'ici! trop tard! *jamais* peut-être!
Car j'ignore où tu fuis, tu ne sais où je vais,
14 Ô toi que j'eusse aimée, ô toi qui le savais!

XCIV

LE SQUELETTE LABOUREUR

I

Dans les planches d'anatomie
Qui traînent sur ces quais poudreux
Où maint livre cadavéreux
4 Dort comme une antique momie,

------

1. Comme un être bizarre, atteint de folie.

Dessins auxquels la gravité
Et le savoir d'un vieil artiste,
Bien que le sujet en soit triste,
8 Ont communiqué la Beauté,

On voit, ce qui rend plus complètes
Ces mystérieuses horreurs,
Bêchant comme des laboureurs,
12 Des Écorchés et des Squelettes.

II

De ce terrain que vous fouillez,
Manants résignés et funèbres,
De tout l'effort de vos vertèbres,
16 Ou de vos muscles dépouillés,

Dites, quelle moisson étrange,
Forçats arrachés au charnier,
Tirez-vous, et de quel fermier
20 Avez-vous à remplir la grange ?

Voulez-vous (d'un destin trop dur
Épouvantable et clair emblème !)
Montrer que dans la fosse même
24 Le sommeil promis n'est pas sûr ;

Qu'envers nous le Néant est traître ;
Que tout, même la Mort, nous ment,
Et que sempiternellement,
28 Hélas ! il nous faudra peut-être

Dans quelque pays inconnu
Écorcher la terre revêche

Et pousser une lourde bêche
32 Sous notre pied sanglant et nu ?

XCV

LE CRÉPUSCULE DU SOIR

Voici le soir charmant, ami du criminel ;
Il vient comme un complice, à pas de loup ; le ciel
Se ferme lentement comme une grande alcôve,
Et l'homme impatient se change en bête fauve.

5 Ô soir, aimable soir, désiré par celui
Dont les bras, sans mentir, peuvent dire : Aujourd'hui
Nous avons travaillé ! — C'est le soir qui soulage
Les esprits que dévore une douleur sauvage,
Le savant obstiné dont le front s'alourdit,
10 Et l'ouvrier courbé qui regagne son lit.
Cependant des démons malsains dans l'atmosphère
S'éveillent lourdement, comme des gens d'affaire,
Et cognent en volant les volets et l'auvent.
À travers les lueurs que tourmente le vent
15 La Prostitution s'allume dans les rues ;
Comme une fourmilière elle ouvre ses issues ;
Partout elle se fraye un occulte chemin,
Ainsi que l'ennemi qui tente un coup de main ;
Elle remue au sein de la cité de fange
20 Comme un ver qui dérobe à l'Homme ce qu'il mange.
On entend çà et là les cuisines siffler,
Les théâtres glapir, les orchestres ronfler ;
Les tables d'hôte, dont le jeu fait les délices,
S'emplissent de catins et d'escrocs, leurs complices,
25 Et les voleurs, qui n'ont ni trêve ni merci,
Vont bientôt commencer leur travail, eux aussi,

Et forcer doucement les portes et les caisses
Pour vivre quelques jours et vêtir leurs maîtresses.
Recueille-toi, mon âme, en ce grave moment,
30 Et ferme ton oreille à ce rugissement.
C'est l'heure où les douleurs des malades s'aigrissent!
La sombre Nuit les prend à la gorge; ils finissent
Leur destinée et vont vers le gouffre commun;
L'hôpital se remplit de leurs soupirs. — Plus d'un
35 Ne viendra plus chercher la soupe parfumée,
Au coin du feu, le soir, auprès d'une âme aimée.

Encore la plupart n'ont-ils jamais connu
La douceur du foyer et n'ont jamais vécu!

XCVI

LE JEU

Dans des fauteuils fanés des courtisanes vieilles,
Pâles, le sourcil peint, l'œil câlin et fatal,
Minaudant, et faisant de leurs maigres oreilles
4 Tomber un cliquetis de pierre et de métal;

Autour des verts tapis des visages sans lèvre,
Des lèvres sans couleur, des mâchoires sans dent,
Et des doigts convulsés d'une infernale fièvre,
8 Fouillant la poche vide ou le sein palpitant;

Sous de sales plafonds un rang de pâles lustres
Et d'énormes quinquets projetant leurs lueurs
Sur des fronts ténébreux de poëtes illustres
12 Qui viennent gaspiller leurs sanglantes sueurs;

Voilà le noir tableau qu'en un rêve nocturne
Je vis se dérouler sous mon œil clairvoyant.

Moi-même, dans un coin de l'antre taciturne,
16 Je me vis accoudé, froid, muet, enviant,

Enviant de ces gens la passion tenace,
De ces vieilles putains la funèbre gaieté,
Et tous gaillardement trafiquant à ma face,
20 L'un de son vieil honneur, l'autre de sa beauté !

Et mon cœur s'effraya d'envier maint pauvre homme
Courant avec ferveur à l'abîme béant,
Et qui, soûl de son sang, préférerait en somme
24 La douleur à la mort et l'enfer au néant !

XCVII

DANSE MACABRE

À *Ernest Christophe.*

Fière, autant qu'un vivant, de sa noble stature,
Avec son gros bouquet, son mouchoir et ses gants,
Elle a la nonchalance et la désinvolture
4 D'une coquette maigre aux airs extravagants.

Vit-on jamais au bal une taille plus mince ?
Sa robe exagérée, en sa royale ampleur,
S'écroule abondamment sur un pied sec que pince
8 Un soulier pomponné, joli comme une fleur.

La ruche qui se joue au bord des clavicules,
Comme un ruisseau lascif qui se frotte au rocher,
Défend pudiquement des lazzi ridicules
12 Les funèbres appas qu'elle tient à cacher.

Ses yeux profonds sont faits de vide et de ténèbres,
Et son crâne, de fleurs artistement coiffé,
Oscille mollement sur ses frêles vertèbres,
16 Ô charme d'un néant follement attifé !

Aucuns t'appelleront une caricature,
Qui ne comprennent pas, amants ivres de chair,
L'élégance sans nom de l'humaine armature.
20 Tu réponds, grand squelette, à mon goût le plus cher !

Viens-tu troubler, avec ta puissante grimace,
La fête de la Vie ? ou quelque vieux désir,
Éperonnant encor ta vivante carcasse,
24 Te pousse-t-il, crédule, au sabbat du Plaisir ?

Au chant des violons, aux flammes des bougies,
Espères-tu chasser ton cauchemar moqueur,
Et viens-tu demander au torrent des orgies
28 De rafraîchir l'enfer allumé dans ton cœur ?

Inépuisable puits de sottise et de fautes !
De l'antique douleur éternel alambic !
À travers le treillis recourbé de tes côtes
32 Je vois, errant encor, l'insatiable aspic.

Pour dire vrai, je crains que ta coquetterie
Ne trouve pas un prix digne de ses efforts ;
Qui, de ces cœurs mortels, entend la raillerie ?
36 Les charmes de l'horreur n'enivrent que les forts !

Le gouffre de tes yeux, plein d'horribles pensées,
Exhale le vertige, et les danseurs prudents
Ne contempleront pas sans d'amères nausées
40 Le sourire éternel de tes trente-deux dents.

Pourtant, qui n'a serré dans ses bras un squelette,
Et qui ne s'est nourri des choses du tombeau ?
Qu'importe le parfum, l'habit ou la toilette ?
44 Qui fait le dégoûté montre qu'il se croit beau.

Bayadère [1] sans nez, irrésistible gouge [2],
Dis donc à ces danseurs qui font les offusqués :
« Fiers mignons, malgré l'art des poudres et du rouge,
48 Vous sentez tous la mort ! Ô squelettes musqués,

Antinoüs flétris, dandys à face glabre,
Cadavres vernissés, lovelaces chenus,
Le branle universel de la danse macabre
52 Vous entraîne en des lieux qui ne sont pas connus !

Des quais froids de la Seine aux bords brûlants du Gange,
Le troupeau mortel saute et se pâme, sans voir
Dans un trou du plafond la trompette de l'Ange
56 Sinistrement béante ainsi qu'un tromblon noir.

En tout climat, sous tout soleil, la Mort t'admire
En tes contorsions, risible Humanité,
Et souvent, comme toi, se parfumant de myrrhe,
60 Mêle son ironie à ton insanité ! »

XCVIII

L'AMOUR DU MENSONGE

Quand je te vois passer, ô ma chère indolente,
Au chant des instruments qui se brise au plafond

---

1. Danseuse sacrée de l'Inde.
2. Servante, prostituée.

Suspendant ton allure harmonieuse et lente,
4 Et promenant l'ennui de ton regard profond ;

Quand je contemple, aux feux du gaz qui le colore,
Ton front pâle, embelli par un morbide attrait,
Où les torches du soir allument une aurore,
8 Et tes yeux attirants comme ceux d'un portrait,

Je me dis : Qu'elle est belle ! et bizarrement fraîche !
Le souvenir massif, royale et lourde tour,
La couronne, et son cœur, meurtri comme une pêche,
12 Est mûr, comme son corps, pour le savant amour.

Es-tu le fruit d'automne aux saveurs souveraines ?
Es-tu vase funèbre attendant quelques pleurs,
Parfum qui fait rêver aux oasis lointaines,
16 Oreiller caressant, ou corbeille de fleurs ?

Je sais qu'il est des yeux, des plus mélancoliques,
Qui ne recèlent point de secrets précieux ;
Beaux écrins sans joyaux, médaillons sans reliques,
20 Plus vides, plus profonds que vous-mêmes, ô Cieux !

Mais ne suffit-il pas que tu sois l'apparence,
Pour réjouir un cœur qui fuit la vérité ?
Qu'importe ta bêtise ou ton indifférence ?
24 Masque ou décor, salut ! J'adore ta beauté.

XCIX

Je n'ai pas oublié, voisine de la ville,
Notre blanche maison, petite mais tranquille ;

Sa Pomone[1] de plâtre et sa vieille Vénus
Dans un bosquet chétif cachant leurs membres nus,
5 Et le soleil, le soir, ruisselant et superbe
Qui, derrière la vitre où se brisait sa gerbe,
Semblait, grand œil ouvert dans le ciel curieux,
Contempler nos dîners longs et silencieux,
Répandant largement ses beaux reflets de cierge
10 Sur la nappe frugale et les rideaux de serge.

C

La servante au grand cœur dont vous étiez jalouse,
Et qui dort son sommeil sous une humble pelouse,
Nous devrions pourtant lui porter quelques fleurs.
Les morts, les pauvres morts, ont de grandes douleurs,
5 Et quand Octobre souffle, émondeur des vieux arbres,
Son vent mélancolique à l'entour de leurs marbres,
Certe, ils doivent trouver les vivants bien ingrats,
À dormir, comme ils font, chaudement dans leurs draps,
Tandis que, dévorés de noires songeries,
10 Sans compagnon de lit, sans bonnes causeries,
Vieux squelettes gelés travaillés par le ver,
Ils sentent s'égoutter les neiges de l'hiver
Et le siècle couler, sans qu'amis ni famille
Remplacent les lambeaux qui pendent à leur grille.

15 Lorsque la bûche siffle et chante, si le soir,
Calme, dans le fauteuil je la voyais s'asseoir,
Si, par une nuit bleue et froide de décembre,
Je la trouvais tapie en un coin de ma chambre,
Grave, et venant du fond de son lit éternel

---

1. Nymphe protectrice des fruits, épouse de Vertumne.

20 Couver l'enfant grandi de son œil maternel,
   Que pourrais-je répondre à cette âme pieuse,
   Voyant tomber des pleurs de sa paupière creuse ?

CI

BRUMES ET PLUIES

Ô fins d'automne, hivers, printemps trempés de boue,
Endormeuses saisons ! je vous aime et vous loue
D'envelopper ainsi mon cœur et mon cerveau
4 D'un linceul vaporeux et d'un vague tombeau.

Dans cette grande plaine où l'autan froid se joue,
Où par les longues nuits la girouette s'enroue,
Mon âme mieux qu'au temps du tiède renouveau
8 Ouvrira largement ses ailes de corbeau.

Rien n'est plus doux au cœur plein de choses funèbres,
Et sur qui dès longtemps descendent les frimas,
11 Ô blafardes saisons, reines de nos climats,

Que l'aspect permanent de vos pâles ténèbres,
— Si ce n'est, par un soir sans lune, deux à deux,
14 D'endormir la douleur sur un lit hasardeux.

CII

RÊVE PARISIEN

À *Constantin Guys.*

I

De ce terrible paysage,
Tel que jamais mortel n'en vit,
Ce matin encore l'image,
4 Vague et lointaine, me ravit.

Le sommeil est plein de miracles !
Par un caprice singulier
J'avais banni de ces spectacles
8 Le végétal irrégulier,

Et, peintre fier de mon génie,
Je savourais dans mon tableau
L'enivrante monotonie
12 Du métal, du marbre et de l'eau.

Babel d'escaliers et d'arcades,
C'était un palais infini,
Plein de bassins et de cascades
16 Tombant dans l'or mat ou bruni ;

Et des cataractes pesantes,
Comme des rideaux de cristal,
Se suspendaient, éblouissantes,
20 À des murailles de métal.

Non d'arbres, mais de colonnades
Les étangs dormants s'entouraient,
Où de gigantesques naïades,
24 Comme des femmes, se miraient.

Des nappes d'eau s'épanchaient, bleues,
Entre des quais roses et verts,
Pendant des millions de lieues,
28 Vers les confins de l'univers ;

C'étaient des pierres inouïes
Et des flots magiques ; c'étaient
D'immenses glaces éblouies
32 Par tout ce qu'elles reflétaient !

Insouciants et taciturnes,
Des Ganges, dans le firmament,
Versaient le trésor de leurs urnes
36 Dans des gouffres de diamant.

Architecte de mes féeries,
Je faisais, à ma volonté,
Sous un tunnel de pierreries
40 Passer un océan dompté ;

Et tout, même la couleur noire,
Semblait fourbi, clair, irisé ;
Le liquide enchâssait sa gloire
44 Dans le rayon cristallisé.

Nul astre d'ailleurs, nuls vestiges
De soleil, même au bas du ciel,
Pour illuminer ces prodiges,
48 Qui brillaient d'un feu personnel !

Et sur ces mouvantes merveilles
Planait (terrible nouveauté !
Tout pour l'œil, rien pour les oreilles !)
52 Un silence d'éternité.

II

En rouvrant mes yeux pleins de flamme
J'ai vu l'horreur de mon taudis,
Et senti, rentrant dans mon âme,
56 La pointe des soucis maudits ;

La pendule aux accents funèbres
Sonnait brutalement midi,
Et le ciel versait des ténèbres
60 Sur le triste monde engourdi.

CIII

LE CRÉPUSCULE DU MATIN

La diane[1] chantait dans les cours des casernes,
Et le vent du matin soufflait sur les lanternes.

C'était l'heure où l'essaim des rêves malfaisants
Tord sur leurs oreillers les bruns adolescents ;
5 Où, comme un œil sanglant qui palpite et qui bouge,
La lampe sur le jour fait une tache rouge ;
Où l'âme, sous le poids du corps revêche et lourd,
Imite les combats de la lampe et du jour.
Comme un visage en pleurs que les brises essuient,

---

1. Sonnerie pour réveiller les soldats.

10 L'air est plein du frisson des choses qui s'enfuient,
   Et l'homme est las d'écrire et la femme d'aimer.

   Les maisons çà et là commençaient à fumer.
   Les femmes de plaisir, la paupière livide,
   Bouche ouverte, dormaient de leur sommeil stupide ;
15 Les pauvresses, traînant leurs seins maigres et froids,
   Soufflaient sur leurs tisons et soufflaient sur leurs doigts.
   C'était l'heure où parmi le froid et la lésine[1]
   S'aggravent les douleurs des femmes en gésine ;
   Comme un sanglot coupé par un sang écumeux
20 Le chant du coq au loin déchirait l'air brumeux ;
   Une mer de brouillards baignait les édifices,
   Et les agonisants dans le fond des hospices
   Poussaient leur dernier râle en hoquets inégaux.
   Les débauchés rentraient, brisés par leurs travaux.

25 L'aurore grelottante en robe rose et verte
   S'avançait lentement sur la Seine déserte,
   Et le sombre Paris, en se frottant les yeux,
   Empoignait ses outils, vieillard laborieux.

————————
   1. Épargne sordide.

Le Vin

CIV

L'ÂME DU VIN

Un soir, l'âme du vin chantait dans les bouteilles :
« Homme, vers toi je pousse, ô cher déshérité,
Sous ma prison de verre et mes cires vermeilles,
4 Un chant plein de lumière et de fraternité !

Je sais combien il faut, sur la colline en flamme,
De peine, de sueur et de soleil cuisant
Pour engendrer ma vie et pour me donner l'âme ;
8 Mais je ne serai point ingrat ni malfaisant,

Car j'éprouve une joie immense quand je tombe
Dans le gosier d'un homme usé par ses travaux,
Et sa chaude poitrine est une douce tombe
12 Où je me plais bien mieux que dans mes froids caveaux.

Entends-tu retentir les refrains des dimanches
Et l'espoir qui gazouille en mon sein palpitant ?
Les coudes sur la table et retroussant tes manches,
16 Tu me glorifieras et tu seras content ;

J'allumerai les yeux de ta femme ravie ;
À ton fils je rendrai sa force et ses couleurs
Et serai pour ce frêle athlète de la vie
20 L'huile qui raffermit les muscles des lutteurs.

En toi je tomberai, végétale ambroisie,
Grain précieux jeté par l'éternel Semeur,
Pour que de notre amour naisse la poésie
24 Qui jaillira vers Dieu comme une rare fleur ! »

CV

LE VIN DES CHIFFONNIERS

Souvent, à la clarté rouge d'un réverbère
Dont le vent bat la flamme et tourmente le verre,
Au cœur d'un vieux faubourg, labyrinthe fangeux
4 Où l'humanité grouille en ferments orageux,

On voit un chiffonnier qui vient, hochant la tête,
Butant, et se cognant aux murs comme un poëte,
Et, sans prendre souci des mouchards, ses sujets,
8 Épanche tout son cœur en glorieux projets.

Il prête des serments, dicte des lois sublimes,
Terrasse les méchants, relève les victimes,
Et sous le firmament comme un dais suspendu
12 S'enivre des splendeurs de sa propre vertu.

Oui, ces gens harcelés de chagrins de ménage,
Moulus par le travail et tourmentés par l'âge,
Éreintés et pliant sous un tas de débris,
16 Vomissement confus de l'énorme Paris,

Reviennent, parfumés d'une odeur de futailles,
Suivis de compagnons, blanchis dans les batailles,
Dont la moustache pend comme les vieux drapeaux.
20 Les bannières, les fleurs et les arcs triomphaux

Se dressent devant eux, solennelle magie !
Et dans l'étourdissante et lumineuse orgie
Des clairons, du soleil, des cris et du tambour,
24 Ils apportent la gloire au peuple ivre d'amour !

C'est ainsi qu'à travers l'Humanité frivole
Le vin roule de l'or, éblouissant Pactole[1] ;
Par le gosier de l'homme il chante ses exploits
28 Et règne par ses dons ainsi que les vrais rois.

Pour noyer la rancœur et bercer l'indolence
De tous ces vieux maudits qui meurent en silence,
Dieu, touché de remords, avait fait le sommeil ;
32 L'Homme ajouta le Vin, fils sacré du Soleil !

CVI

LE VIN DE L'ASSASSIN

Ma femme est morte, je suis libre !
Je puis donc boire tout mon soûl.
Lorsque je rentrais sans un sou,
4 Ses cris me déchiraient la fibre.

Autant qu'un roi je suis heureux ;
L'air est pur, le ciel admirable...

---

1. Rivière roulant des paillettes d'or, à l'origine de la richesse de
Crésus.

Nous avions un été semblable
8 Lorsque j'en devins amoureux !

L'horrible soif qui me déchire
Aurait besoin pour s'assouvir
D'autant de vin qu'en peut tenir
12 Son tombeau ; — ce n'est pas peu dire :

Je l'ai jetée au fond d'un puits,
Et j'ai même poussé sur elle
Tous les pavés de la margelle.
16 — Je l'oublierai si je le puis !

Au nom des serments de tendresse,
Dont rien ne peut nous délier,
Et pour nous réconcilier
20 Comme au beau temps de notre ivresse,

J'implorai d'elle un rendez-vous,
Le soir, sur une route obscure.
Elle y vint ! — folle créature !
24 Nous sommes tous plus ou moins fous !

Elle était encore jolie,
Quoique bien fatiguée ! et moi,
Je l'aimais trop ! voilà pourquoi
28 Je lui dis : Sors de cette vie !

Nul ne peut me comprendre. Un seul
Parmi ces ivrognes stupides
Songea-t-il dans ses nuits morbides
32 À faire du vin un linceul ?

Cette crapule invulnérable
Comme les machines de fer

Jamais, ni l'été ni l'hiver,
36 N'a connu l'amour véritable,

Avec ses noirs enchantements,
Son cortége infernal d'alarmes,
Ses fioles de poison, ses larmes,
40 Ses bruits de chaîne et d'ossements !

— Me voilà libre et solitaire !
Je serai ce soir ivre mort ;
Alors, sans peur et sans remord,
44 Je me coucherai sur la terre,

Et je dormirai comme un chien !
Le chariot aux lourdes roues
Chargé de pierres et de boues,
48 Le wagon enragé peut bien

Écraser ma tête coupable
Ou me couper par le milieu,
Je m'en moque comme de Dieu,
52 Du Diable ou de la Sainte Table !

CVII

LE VIN DU SOLITAIRE

Le regard singulier d'une femme galante
Qui se glisse vers nous comme le rayon blanc
Que la lune onduleuse envoie au lac tremblant,
4 Quand elle y veut baigner sa beauté nonchalante ;

Le dernier sac d'écus dans les doigts d'un joueur ;
Un baiser libertin de la maigre Adeline ;

Les sons d'une musique énervante et câline,
8 Semblable au cri lointain de l'humaine douleur,

Tout cela ne vaut pas, ô bouteille profonde,
Les baumes pénétrants que ta panse féconde
11 Garde au cœur altéré du poëte pieux ;

Tu lui verses l'espoir, la jeunesse et la vie,
— Et l'orgueil, ce trésor de toute gueuserie,
14 Qui nous rend triomphants et semblables aux Dieux !

CVIII

LE VIN DES AMANTS

Aujourd'hui l'espace est splendide !
Sans mors, sans éperons, sans bride,
Partons à cheval sur le vin
4 Pour un ciel féerique et divin !

Comme deux anges que torture
Une implacable calenture[1],
Dans le bleu cristal du matin
8 Suivons le mirage lointain !

Mollement balancés sur l'aile
Du tourbillon intelligent,
11 Dans un délire parallèle,

Ma sœur, côte à côte nageant,
Nous fuirons sans repos ni trêves
14 Vers le paradis de mes rêves !

—————————
1. Délire parfois furieux dû à l'insolation.

Fleurs du Mal

LA DESTRUCTION

Sans cesse à mes côtés s'agite le Démon ;
Il nage autour de moi comme un air impalpable ;
Je l'avale et le sens qui brûle mon poumon
4 Et l'emplit d'un désir éternel et coupable.

Parfois il prend, sachant mon grand amour de l'Art,
La forme de la plus séduisante des femmes,
Et, sous de spécieux prétextes de cafard,
8 Accoutume ma lèvre à des philtres infâmes.

Il me conduit ainsi, loin du regard de Dieu,
Haletant et brisé de fatigue, au milieu
11 Des plaines de l'Ennui, profondes et désertes,

Et jette dans mes yeux pleins de confusion
Des vêtements souillés, des blessures ouvertes,
14 Et l'appareil sanglant de la Destruction !

CX

UNE MARTYRE

Dessin d'un maître inconnu

Au milieu des flacons, des étoffes lamées
          Et des meubles voluptueux,
Des marbres, des tableaux, des robes parfumées
4   Qui traînent à plis somptueux,

Dans une chambre tiède où, comme en une serre,
          L'air est dangereux et fatal,
Où des bouquets mourants dans leurs cercueils de verre
8   Exhalent leur soupir final,

Un cadavre sans tête épanche, comme un fleuve,
          Sur l'oreiller désaltéré
Un sang rouge et vivant, dont la toile s'abreuve
12   Avec l'avidité d'un pré.

Semblable aux visions pâles qu'enfante l'ombre
          Et qui nous enchaînent les yeux,
La tête, avec l'amas de sa crinière sombre
16   Et de ses bijoux précieux,

Sur la table de nuit, comme une renoncule,
          Repose ; et, vide de pensers,
Un regard vague et blanc comme le crépuscule
20   S'échappe des yeux révulsés.

Sur le lit, le tronc nu sans scrupules étale
          Dans le plus complet abandon

La secrète splendeur et la beauté fatale
24   Dont la nature lui fit don;

Un bas rosâtre, orné de coins d'or, à la jambe,
      Comme un souvenir est resté;
La jarretière, ainsi qu'un œil secret qui flambe,
28   Darde un regard diamanté.

Le singulier aspect de cette solitude
      Et d'un grand portrait langoureux,
Aux yeux provocateurs comme son attitude,
32   Révèle un amour ténébreux,

Une coupable joie et des fêtes étranges
      Pleines de baisers infernaux,
Dont se réjouissait l'essaim des mauvais anges
36   Nageant dans les plis des rideaux;

Et cependant, à voir la maigreur élégante
      De l'épaule au contour heurté,
La hanche un peu pointue et la taille fringante
40   Ainsi qu'un reptile irrité,

Elle est bien jeune encor! — Son âme exaspérée
      Et ses sens par l'ennui mordus
S'étaient-ils entr'ouverts à la meute altérée
44   Des désirs errants et perdus?

L'homme vindicatif que tu n'as pu, vivante,
      Malgré tant d'amour, assouvir,
Combla-t-il sur ta chair inerte et complaisante
48   L'immensité de son désir?

Réponds, cadavre impur! et par tes tresses roides
      Te soulevant d'un bras fiévreux,

Dis-moi, tête effrayante, a-t-il sur tes dents froides
52   Collé les suprêmes adieux ?

— Loin du monde railleur, loin de la foule impure,
          Loin des magistrats curieux,
Dors en paix, dors en paix, étrange créature,
56   Dans ton tombeau mystérieux ;

Ton époux court le monde, et ta forme immortelle
          Veille près de lui quand il dort ;
Autant que toi sans doute il te sera fidèle,
60   Et constant jusques à la mort.

CXI

FEMMES DAMNÉES

Comme un bétail pensif sur le sable couchées,
Elles tournent leurs yeux vers l'horizon des mers,
Et leurs pieds se cherchant et leurs mains rapprochées
4 Ont de douces langueurs et des frissons amers.

Les unes, cœurs épris des longues confidences,
Dans le fond des bosquets où jasent les ruisseaux,
Vont épelant l'amour des craintives enfances
8 Et creusent le bois vert des jeunes arbrisseaux ;

D'autres, comme des sœurs, marchent lentes et graves
À travers les rochers pleins d'apparitions,
Où Saint Antoine a vu surgir comme des laves
12 Les seins nus et pourprés de ses tentations ;

Il en est, aux lueurs des résines croulantes,
Qui dans le creux muet des vieux antres païens

T'appellent au secours de leurs fièvres hurlantes,
16 Ô Bacchus, endormeur des remords anciens !

Et d'autres, dont la gorge aime les scapulaires[1],
Qui, recélant un fouet sous leurs longs vêtements,
Mêlent, dans le bois sombre et les nuits solitaires,
20 L'écume du plaisir aux larmes des tourments.

Ô vierges, ô démons, ô monstres, ô martyres,
De la réalité grands esprits contempteurs[2],
Chercheuses d'infini, dévotes et satyres,
24 Tantôt pleines de cris, tantôt pleines de pleurs,

Vous que dans votre enfer mon âme a poursuivies,
Pauvres sœurs, je vous aime autant que je vous plains,
Pour vos mornes douleurs, vos soifs inassouvies,
28 Et les urnes d'amour dont vos grands cœurs sont pleins !

CXII

LES DEUX BONNES SŒURS

La Débauche et la Mort sont deux aimables filles,
Prodigues de baisers et riches de santé,
Dont le flanc toujours vierge et drapé de guenilles
4 Sous l'éternel labeur n'a jamais enfanté.

Au poëte sinistre, ennemi des familles,
Favori de l'enfer, courtisan mal renté,
Tombeaux et lupanars montrent sous leurs charmilles
8 Un lit que le remords n'a jamais fréquenté.

---

1. Objet de dévotion composé de deux morceaux d'étoffe bénits, réunis par des rubans qui s'attachent au cou.
2. Qui méprisent et critiquent.

Et la bière et l'alcôve en blasphèmes fécondes
Nous offrent tour à tour, comme deux bonnes sœurs,
11 De terribles plaisirs et d'affreuses douceurs.

Quand veux-tu m'enterrer, Débauche aux bras immondes ?
Ô Mort, quand viendras-tu, sa rivale en attraits,
14 Sur ses myrtes infects enter tes noirs cyprès ?

CXIII

LA FONTAINE DE SANG

Il me semble parfois que mon sang coule à flots,
Ainsi qu'une fontaine aux rhythmiques sanglots.
Je l'entends bien qui coule avec un long murmure,
4 Mais je me tâte en vain pour trouver la blessure.

À travers la cité, comme dans un champ clos,
Il s'en va, transformant les pavés en îlots,
Désaltérant la soif de chaque créature,
8 Et partout colorant en rouge la nature.

J'ai demandé souvent à des vins captieux
D'endormir pour un jour la terreur qui me mine ;
11 Le vin rend l'œil plus clair et l'oreille plus fine !

J'ai cherché dans l'amour un sommeil oublieux ;
Mais l'amour n'est pour moi qu'un matelas d'aiguilles
14 Fait pour donner à boire à ces cruelles filles !

CXIV

ALLÉGORIE

C'est une femme belle et de riche encolure,
Qui laisse dans son vin traîner sa chevelure.
Les griffes de l'amour, les poisons du tripot,
Tout glisse et tout s'émousse au granit de sa peau.
5 Elle rit à la Mort et nargue la Débauche,
Ces monstres dont la main, qui toujours gratte et fauche,
Dans ses jeux destructeurs a pourtant respecté
De ce corps ferme et droit la rude majesté.
Elle marche en déesse et repose en sultane;
10 Elle a dans le plaisir la foi mahométane,
Et dans ses bras ouverts, que remplissent ses seins,
Elle appelle des yeux la race des humains.
Elle croit, elle sait, cette vierge inféconde
Et pourtant nécessaire à la marche du monde,
15 Que la beauté du corps est un sublime don
Qui de toute infamie arrache le pardon.
Elle ignore l'Enfer comme le Purgatoire,
Et quand l'heure viendra d'entrer dans la Nuit noire,
Elle regardera la face de la Mort,
20 Ainsi qu'un nouveau-né, — sans haine et sans remord.

CXV

LA BÉATRICE

Dans des terrains cendreux, calcinés, sans verdure,
Comme je me plaignais un jour à la nature,
Et que de ma pensée, en vaguant au hasard,
J'aiguisais lentement sur mon cœur le poignard,

5 Je vis en plein midi descendre sur ma tête
  Un nuage funèbre et gros d'une tempête,
  Qui portait un troupeau de démons vicieux,
  Semblables à des nains cruels et curieux.
  À me considérer froidement ils se mirent,
10 Et, comme des passants sur un fou qu'ils admirent,
  Je les entendis rire et chuchoter entre eux,
  En échangeant maint signe et maint clignement d'yeux :

  — « Contemplons à loisir cette caricature
  Et cette ombre d'Hamlet imitant sa posture,
15 Le regard indécis et les cheveux au vent.
  N'est-ce pas grand'pitié de voir ce bon vivant,
  Ce gueux, cet histrion en vacances, ce drôle,
  Parce qu'il sait jouer artistement son rôle,
  Vouloir intéresser au chant de ses douleurs
20 Les aigles, les grillons, les ruisseaux et les fleurs,
  Et même à nous, auteurs de ces vieilles rubriques,
  Réciter en hurlant ses tirades publiques ? »

  J'aurais pu (mon orgueil aussi haut que les monts
  Domine la nuée et le cri des démons)
25 Détourner simplement ma tête souveraine,
  Si je n'eusse pas vu parmi leur troupe obscène,
  Crime qui n'a pas fait chanceler le soleil !
  La reine de mon cœur au regard nonpareil,
  Qui riait avec eux de ma sombre détresse
30 Et leur versait parfois quelque sale caresse.

CXVI

UN VOYAGE À CYTHÈRE[1]

Mon cœur, comme un oiseau, voltigeait tout joyeux
Et planait librement à l'entour des cordages ;
Le navire roulait sous un ciel sans nuages,
4 Comme un ange enivré d'un soleil radieux.

Quelle est cette île triste et noire ? — C'est Cythère,
Nous dit-on, un pays fameux dans les chansons,
Eldorado banal de tous les vieux garçons.
8 Regardez, après tout, c'est une pauvre terre.

— Île des doux secrets et des fêtes du cœur !
De l'antique Vénus le superbe fantôme
Au-dessus de tes mers plane comme un arome,
12 Et charge les esprits d'amour et de langueur.

Belle île aux myrtes verts, pleine de fleurs écloses,
Vénérée à jamais par toute nation,
Où les soupirs des cœurs en adoration
16 Roulent comme l'encens sur un jardin de roses

Ou le roucoulement éternel d'un ramier !
— Cythère n'était plus qu'un terrain des plus maigres,
Un désert rocailleux troublé par des cris aigres.
20 J'entrevoyais pourtant un objet singulier !

Ce n'était pas un temple aux ombres bocagères,
Où la jeune prêtresse, amoureuse des fleurs,
Allait, le corps brûlé de secrètes chaleurs,
24 Entre-bâillant sa robe aux brises passagères ;

---

1. Île d'Aphrodite, pays idyllique de l'amour et du plaisir.

Mais voilà qu'en rasant la côte d'assez près
Pour troubler les oiseaux avec nos voiles blanches,
Nous vîmes que c'était un gibet à trois branches,
28 Du ciel se détachant en noir, comme un cyprès.

De féroces oiseaux perchés sur leur pâture
Détruisaient avec rage un pendu déjà mûr,
Chacun plantant, comme un outil, son bec impur
32 Dans tous les coins saignants de cette pourriture ;

Les yeux étaient deux trous, et du ventre effondré
Les intestins pesants lui coulaient sur les cuisses,
Et ses bourreaux, gorgés de hideuses délices,
36 L'avaient à coups de bec absolument châtré.

Sous les pieds, un troupeau de jaloux quadrupèdes,
Le museau relevé, tournoyait et rôdait ;
Une plus grande bête au milieu s'agitait
40 Comme un exécuteur entouré de ses aides.

Habitant de Cythère, enfant d'un ciel si beau,
Silencieusement tu souffrais ces insultes
En expiation de tes infâmes cultes
44 Et des péchés qui t'ont interdit le tombeau.

Ridicule pendu, tes douleurs sont les miennes !
Je sentis, à l'aspect de tes membres flottants,
Comme un vomissement, remonter vers mes dents
48 Le long fleuve de fiel des douleurs anciennes ;

Devant toi, pauvre diable au souvenir si cher,
J'ai senti tous les becs et toutes les mâchoires
Des corbeaux lancinants et des panthères noires
52 Qui jadis aimaient tant à triturer ma chair.

— Le ciel était charmant, la mer était unie ;
Pour moi tout était noir et sanglant désormais,
Hélas ! et j'avais, comme en un suaire épais,
56 Le cœur enseveli dans cette allégorie.

Dans ton île, ô Vénus ! je n'ai trouvé debout
Qu'un gibet symbolique où pendait mon image...
— Ah ! Seigneur ! donnez-moi la force et le courage
60 De contempler mon cœur et mon corps sans dégoût !

CXVII

L'AMOUR ET LE CRÂNE

Vieux cul-de-lampe [1]

L'Amour est assis sur le crâne
    De l'Humanité,
Et sur ce trône le profane,
4   Au rire effronté,

Souffle gaiement des bulles rondes
    Qui montent dans l'air,
Comme pour rejoindre les mondes
8   Au fond de l'éther.

Le globe lumineux et frêle
    Prend un grand essor,
Crève et crache son âme grêle
12   Comme un songe d'or.

---

1. Vignette gravée à la fin d'un chapitre, de forme triangulaire.

J'entends le crâne à chaque bulle
    Prier et gémir :
— « Ce jeu féroce et ridicule,
16   Quand doit-il finir ?

Car ce que ta bouche cruelle
    Éparpille en l'air,
Monstre assassin, c'est ma cervelle,
20   Mon sang et ma chair ! »

Révolte

CXVIII

LE RENIEMENT
DE SAINT PIERRE

Qu'est-ce que Dieu fait donc de ce flot d'anathèmes
Qui monte tous les jours vers ses chers Séraphins ?
Comme un tyran gorgé de viande et de vins,
4 Il s'endort au doux bruit de nos affreux blasphèmes.

Les sanglots des martyrs et des suppliciés
Sont une symphonie enivrante sans doute,
Puisque, malgré le sang que leur volupté coûte,
8 Les cieux ne s'en sont point encore rassasiés !

— Ah ! Jésus, souviens-toi du Jardin des Olives !
Dans ta simplicité tu priais à genoux
Celui qui dans son ciel riait au bruit des clous
12 Que d'ignobles bourreaux plantaient dans tes chairs vives,

Lorsque tu vis cracher sur ta divinité
La crapule du corps de garde et des cuisines,
Et lorsque tu sentis s'enfoncer les épines
16 Dans ton crâne où vivait l'immense Humanité ;

Quand de ton corps brisé la pesanteur horrible
Allongeait tes deux bras distendus, que ton sang
Et ta sueur coulaient de ton front pâlissant,
20 Quand tu fus devant tous posé comme une cible,

Rêvais-tu de ces jours si brillants et si beaux
Où tu vins pour remplir l'éternelle promesse,
Où tu foulais, monté sur une douce ânesse,
24 Des chemins tout jonchés de fleurs et de rameaux,

Où, le cœur tout gonflé d'espoir et de vaillance,
Tu fouettais tous ces vils marchands à tour de bras,
Où tu fus maître enfin ? Le remords n'a-t-il pas
28 Pénétré dans ton flanc plus avant que la lance ?

— Certes, je sortirai, quant à moi, satisfait
D'un monde où l'action n'est pas la sœur du rêve ;
Puissé-je user du glaive et périr par le glaive !
32 Saint Pierre a renié Jésus… il a bien fait !

CXIX

ABEL ET CAÏN

I

Race d'Abel, dors, bois et mange ;
2 Dieu te sourit complaisamment.

Race de Caïn, dans la fange
4 Rampe et meurs misérablement.

Race d'Abel, ton sacrifice
6 Flatte le nez du Séraphin !

Race de Caïn, ton supplice
8 Aura-t-il jamais une fin ?

Race d'Abel, vois tes semailles
10 Et ton bétail venir à bien ;

Race de Caïn, tes entrailles
12 Hurlent la faim comme un vieux chien.

Race d'Abel, chauffe ton ventre
14 À ton foyer patriarcal ;

Race de Caïn, dans ton antre
16 Tremble de froid, pauvre chacal !

Race d'Abel, aime et pullule !
18 Ton or fait aussi des petits.

Race de Caïn, cœur qui brûle,
20 Prends garde à ces grands appétits.

Race d'Abel, tu croîs et broutes
22 Comme les punaises des bois !

Race de Caïn, sur les routes
24 Traîne ta famille aux abois.

II

Ah ! race d'Abel, ta charogne
26 Engraissera le sol fumant !

Race de Caïn, ta besogne
28 N'est pas faite suffisamment ;

Race d'Abel, voici ta honte :
30 Le fer est vaincu par l'épieu !

Race de Caïn, au ciel monte,
32 Et sur la terre jette Dieu !

LES LITANIES DE SATAN

Ô toi, le plus savant et le plus beau des Anges,
2 Dieu trahi par le sort et privé de louanges,

Ô Satan, prends pitié de ma longue misère !

Ô Prince de l'exil, à qui l'on a fait tort,
5 Et qui, vaincu, toujours te redresses plus fort,

Ô Satan, prends pitié de ma longue misère !

Toi qui sais tout, grand roi des choses souterraines,
8 Guérisseur familier des angoisses humaines,

Ô Satan, prends pitié de ma longue misère !

Toi qui, même aux lépreux, aux parias maudits,
11 Enseignes par l'amour le goût du Paradis,

Ô Satan, prends pitié de ma longue misère !

Ô toi qui de la Mort, ta vieille et forte amante,
14 Engendras l'Espérance, — une folle charmante !

Ô Satan, prends pitié de ma longue misère !

Toi qui fais au proscrit ce regard calme et haut
17 Qui damne tout un peuple autour d'un échafaud,

Ô Satan, prends pitié de ma longue misère !

Toi qui sais en quels coins des terres envieuses
20 Le Dieu jaloux cacha les pierres précieuses,

Ô Satan, prends pitié de ma longue misère !

Toi dont l'œil clair connaît les profonds arsenaux
23 Où dort enseveli le peuple des métaux,

Ô Satan, prends pitié de ma longue misère !

Toi dont la large main cache les précipices
26 Au somnambule errant au bord des édifices,

Ô Satan, prends pitié de ma longue misère !

Toi qui, magiquement, assouplis les vieux os
29 De l'ivrogne attardé foulé par les chevaux,

Ô Satan, prends pitié de ma longue misère !

Toi qui, pour consoler l'homme frêle qui souffre,
32 Nous appris à mêler le salpêtre et le soufre,

Ô Satan, prends pitié de ma longue misère !

Toi qui poses ta marque, ô complice subtil,
35 Sur le front du Crésus impitoyable et vil,

Ô Satan, prends pitié de ma longue misère !

Toi qui mets dans les yeux et dans le cœur des filles
38 Le culte de la plaie et l'amour des guenilles,

Ô Satan, prends pitié de ma longue misère !

Bâton des exilés, lampe des inventeurs,
41 Confesseur des pendus et des conspirateurs,

Ô Satan, prends pitié de ma longue misère !

Père adoptif de ceux qu'en sa noire colère
44 Du paradis terrestre a chassés Dieu le Père,

Ô Satan, prends pitié de ma longue misère !

PRIÈRE

46 Gloire et louange à toi, Satan, dans les hauteurs
Du Ciel, où tu régnas, et dans les profondeurs
De l'Enfer, où, vaincu, tu rêves en silence !
Fais que mon âme un jour, sous l'Arbre de Science,
Près de toi se repose, à l'heure où sur ton front
51 Comme un Temple nouveau ses rameaux s'épandront !

La Mort

CXXI

LA MORT DES AMANTS

Nous aurons des lits pleins d'odeurs légères,
Des divans profonds comme des tombeaux,
Et d'étranges fleurs sur des étagères,
4 Écloses pour nous sous des cieux plus beaux.

Usant à l'envi leurs chaleurs dernières,
Nos deux cœurs seront deux vastes flambeaux,
Qui réfléchiront leurs doubles lumières
8 Dans nos deux esprits, ces miroirs jumeaux.

Un soir fait de rose et de bleu mystique,
Nous échangerons un éclair unique,
11 Comme un long sanglot, tout chargé d'adieux ;

Et plus tard un Ange, entr'ouvrant les portes,
Viendra ranimer, fidèle et joyeux,
14 Les miroirs ternis et les flammes mortes.

CXXII

LA MORT DES PAUVRES

C'est la Mort qui console, hélas! et qui fait vivre;
C'est le but de la vie, et c'est le seul espoir
Qui, comme un élixir, nous monte et nous enivre,
4 Et nous donne le cœur de marcher jusqu'au soir;

À travers la tempête, et la neige, et le givre,
C'est la clarté vibrante à notre horizon noir;
C'est l'auberge fameuse inscrite sur le livre,
8 Où l'on pourra manger, et dormir, et s'asseoir;

C'est un Ange qui tient dans ses doigts magnétiques
Le sommeil et le don des rêves extatiques,
11 Et qui refait le lit des gens pauvres et nus;

C'est la gloire des Dieux, c'est le grenier mystique,
C'est la bourse du pauvre et sa patrie antique,
14 C'est le portique ouvert sur les Cieux inconnus!

CXXIII

LA MORT DES ARTISTES

Combien faut-il de fois secouer mes grelots
Et baiser ton front bas, morne caricature?
Pour piquer dans le but, de mystique nature,
4 Combien, ô mon carquois, perdre de javelots?

Nous userons notre âme en de subtils complots,
Et nous démolirons mainte lourde armature,

Avant de contempler la grande Créature
8 Dont l'infernal désir nous remplit de sanglots !

Il en est qui jamais n'ont connu leur Idole,
Et ces sculpteurs damnés et marqués d'un affront,
11 Qui vont se martelant la poitrine et le front,

N'ont qu'un espoir, étrange et sombre Capitole !
C'est que la Mort, planant comme un soleil nouveau,
14 Fera s'épanouir les fleurs de leur cerveau !

CXXIV
LA FIN DE LA JOURNÉE

Sous une lumière blafarde
Court, danse et se tord sans raison
La Vie, impudente et criarde.
4 Aussi, sitôt qu'à l'horizon

La nuit voluptueuse monte,
Apaisant tout, même la faim,
Effaçant tout, même la honte,
8 Le Poëte se dit : « Enfin !

Mon esprit, comme mes vertèbres,
Invoque ardemment le repos ;
11 Le cœur plein de songes funèbres,

Je vais me coucher sur le dos
Et me rouler dans vos rideaux,
14 Ô rafraîchissantes ténèbres ! »

CXXV

LE RÊVE D'UN CURIEUX

À F. N.

Connais-tu, comme moi, la douleur savoureuse,
Et de toi fais-tu dire : « Oh ! l'homme singulier ! »
— J'allais mourir. C'était dans mon âme amoureuse,
4 Désir mêlé d'horreur, un mal particulier ;

Angoisse et vif espoir, sans humeur factieuse.
Plus allait se vidant le fatal sablier,
Plus ma torture était âpre et délicieuse ;
8 Tout mon cœur s'arrachait au monde familier.

J'étais comme l'enfant avide du spectacle,
Haïssant le rideau comme on hait un obstacle...
11 Enfin la vérité froide se révéla :

J'étais mort sans surprise, et la terrible aurore
M'enveloppait. — Eh quoi ! n'est-ce donc que cela ?
14 La toile était levée et j'attendais encore.

CXXVI

LE VOYAGE

À Maxime Du Camp[1].

I

Pour l'enfant, amoureux de cartes et d'estampes,
L'univers est égal à son vaste appétit.
Ah ! que le monde est grand à la clarté des lampes !
4 Aux yeux du souvenir que le monde est petit !

Un matin nous partons, le cerveau plein de flamme,
Le cœur gros de rancune et de désirs amers,
Et nous allons, suivant le rhythme de la lame,
8 Berçant notre infini sur le fini des mers :

Les uns, joyeux de fuir une patrie infâme ;
D'autres, l'horreur de leurs berceaux, et quelques-uns,
Astrologues noyés dans les yeux d'une femme,
12 La Circé tyrannique aux dangereux parfums.

Pour n'être pas changés en bêtes, ils s'enivrent
D'espace et de lumière et de cieux embrasés ;
La glace qui les mord, les soleils qui les cuivrent,
16 Effacent lentement la marque des baisers.

Mais les vrais voyageurs sont ceux-là seuls qui partent
Pour partir ; cœurs légers, semblables aux ballons,

---

1. Maxime Du Camp (1822-1894) : écrivain et voyageur français, ami de Flaubert ; auteur de récits de voyages et de souvenirs littéraires.

De leur fatalité jamais ils ne s'écartent,
20 Et, sans savoir pourquoi, disent toujours : Allons !

Ceux-là dont les désirs ont la forme des nues,
Et qui rêvent, ainsi qu'un conscrit le canon,
De vastes voluptés, changeantes, inconnues,
24 Et dont l'esprit humain n'a jamais su le nom !

II

Nous imitons, horreur ! la toupie et la boule
Dans leur valse et leurs bonds ; même dans nos sommeils
La Curiosité nous tourmente et nous roule,
28 Comme un Ange cruel qui fouette des soleils.

Singulière fortune où le but se déplace,
Et, n'étant nulle part, peut être n'importe où !
Où l'Homme, dont jamais l'espérance n'est lasse,
32 Pour trouver le repos court toujours comme un fou !

Notre âme est un trois-mâts cherchant son Icarie ;
Une voix retentit sur le pont : « Ouvre l'œil ! »
Une voix de la hune, ardente et folle, crie :
36 « Amour... gloire... bonheur ! » Enfer ! c'est un écueil !

Chaque îlot signalé par l'homme de vigie
Est un Eldorado promis par le Destin ;
L'Imagination qui dresse son orgie
40 Ne trouve qu'un récif aux clartés du matin.

Ô le pauvre amoureux des pays chimériques !
Faut-il le mettre aux fers, le jeter à la mer,
Ce matelot ivrogne, inventeur d'Amériques
44 Dont le mirage rend le gouffre plus amer ?

Tel le vieux vagabond, piétinant dans la boue,
Rêve, le nez en l'air, de brillants paradis ;
Son œil ensorcelé découvre une Capoue [1]
48 Partout où la chandelle illumine un taudis.

III

Étonnants voyageurs ! quelles nobles histoires
Nous lisons dans vos yeux profonds comme les mers !
Montrez-nous les écrins de vos riches mémoires,
52 Ces bijoux merveilleux, faits d'astres et d'éthers.

Nous voulons voyager sans vapeur et sans voile !
Faites, pour égayer l'ennui de nos prisons,
Passer sur nos esprits, tendus comme une toile,
56 Vos souvenirs avec leurs cadres d'horizons.

Dites, qu'avez-vous vu ?

IV

« Nous avons vu des astres
Et des flots ; nous avons vu des sables aussi ;
Et, malgré bien des chocs et d'imprévus désastres,
60 Nous nous sommes souvent ennuyés, comme ici.

La gloire du soleil sur la mer violette,
La gloire des cités dans le soleil couchant,
Allumaient dans nos cœurs une ardeur inquiète
64 De plonger dans un ciel au reflet alléchant.

Les plus riches cités, les plus grands paysages,
Jamais ne contenaient l'attrait mystérieux

---

1. Ville où Hannibal, en 215, laissa ses troupes se livrer à des
délices, ce qui selon la tradition diminua leur combativité.

De ceux que le hasard fait avec les nuages.
68 Et toujours le désir nous rendait soucieux !

— La jouissance ajoute au désir de la force.
Désir, vieil arbre à qui le plaisir sert d'engrais,
Cependant que grossit et durcit ton écorce,
72 Tes branches veulent voir le soleil de plus près !

Grandiras-tu toujours, grand arbre plus vivace
Que le cyprès ? — Pourtant nous avons, avec soin,
Cueilli quelques croquis pour votre album vorace,
76 Frères qui trouvez beau tout ce qui vient de loin !

Nous avons salué des idoles à trompe ;
Des trônes constellés de joyaux lumineux ;
Des palais ouvragés dont la féerique pompe
80 Serait pour vos banquiers un rêve ruineux ;

Des costumes qui sont pour les yeux une ivresse ;
Des femmes dont les dents et les ongles sont teints,
Et des jongleurs savants que le serpent caresse. »

                                    V

84 Et puis, et puis encore ?

                                    VI

                    « Ô cerveaux enfantins !

Pour ne pas oublier la chose capitale,
Nous avons vu partout, et sans l'avoir cherché,
Du haut jusques en bas de l'échelle fatale,
88 Le spectacle ennuyeux de l'immortel péché :

La femme, esclave vile, orgueilleuse et stupide,
Sans rire s'adorant et s'aimant sans dégoût ;
L'homme, tyran goulu, paillard, dur et cupide,
92 Esclave de l'esclave et ruisseau dans l'égout ;

Le bourreau qui jouit, le martyr qui sanglote ;
La fête qu'assaisonne et parfume le sang ;
Le poison du pouvoir énervant le despote,
96 Et le peuple amoureux du fouet abrutissant ;

Plusieurs religions semblables à la nôtre,
Toutes escaladant le ciel ; la Sainteté,
Comme en un lit de plume un délicat se vautre,
100 Dans les clous et le crin cherchant la volupté ;

L'Humanité bavarde, ivre de son génie,
Et folle, maintenant comme elle était jadis,
Criant à Dieu, dans sa furibonde agonie :
104 « Ô mon semblable, ô mon maître, je te maudis ! »

Et les moins sots, hardis amants de la Démence,
Fuyant le grand troupeau parqué par le Destin,
Et se réfugiant dans l'opium immense !
108 — Tel est du globe entier l'éternel bulletin. »

VII

Amer savoir, celui qu'on tire du voyage !
Le monde, monotone et petit, aujourd'hui,
Hier, demain, toujours, nous fait voir notre image :
112 Une oasis d'horreur dans un désert d'ennui !

Faut-il partir ? rester ? Si tu peux rester, reste ;
Pars, s'il le faut. L'un court, et l'autre se tapit

Pour tromper l'ennemi vigilant et funeste,
116 Le Temps ! Il est, hélas ! des coureurs sans répit,

Comme le Juif errant et comme les apôtres,
À qui rien ne suffit, ni wagon ni vaisseau,
Pour fuir ce rétiaire[1] infâme ; il en est d'autres
120 Qui savent le tuer sans quitter leur berceau.

Lorsque enfin il mettra le pied sur notre échine,
Nous pourrons espérer et crier : En avant !
De même qu'autrefois nous partions pour la Chine,
124 Les yeux fixés au large et les cheveux au vent,

Nous nous embarquerons sur la mer des Ténèbres
Avec le cœur joyeux d'un jeune passager.
Entendez-vous ces voix, charmantes et funèbres,
128 Qui chantent : « Par ici ! vous qui voulez manger

Le Lotus parfumé ! c'est ici qu'on vendange
Les fruits miraculeux dont votre cœur a faim ;
Venez vous enivrer de la douceur étrange
132 De cette après-midi qui n'a jamais de fin ! »

À l'accent familier nous devinons le spectre ;
Nos Pylades là-bas tendent leurs bras vers nous.
« Pour rafraîchir ton cœur nage vers ton Électre ! »
136 Dit celle dont jadis nous baisions les genoux.

VIII

Ô Mort, vieux capitaine, il est temps ! levons l'ancre !
Ce pays nous ennuie, ô Mort ! Appareillons !

---

1. Gladiateur armé d'un filet, d'un trident et d'un poignard.

Si le ciel et la mer sont noirs comme de l'encre,
140 Nos cœurs que tu connais sont remplis de rayons !

Verse-nous ton poison pour qu'il nous réconforte !
Nous voulons, tant ce feu nous brûle le cerveau,
Plonger au fond du gouffre, Enfer ou Ciel, qu'importe ?
144 Au fond de l'Inconnu pour trouver du *nouveau* !

Les Épaves

(1866)

AVERTISSEMENT DE L'ÉDITEUR

*Ce recueil est composé de morceaux poétiques pour la plu-
part condamnés ou inédits, auxquels M. Charles Baudelaire n'a
pas cru devoir faire place dans l'édition définitive des Fleurs
du Mal.*

Cela explique son titre.

*M. Charles Baudelaire a fait don, sans réserve, de ces poëmes
à un ami qui juge à propos de les publier, parce qu'il se flatte de
les goûter et qu'il est à un âge où l'on aime encore à faire partager ses sentiments à des amis auxquels on prête ses vertus.*

*L'auteur sera avisé de cette publication en même temps que
les deux cent soixante lecteurs probables qui figurent à peu près,
— pour son éditeur bénévole, — le public littéraire en France,
depuis que les bêtes y ont décidément usurpé la parole sur les
hommes.*

I

LE COUCHER DU SOLEIL
ROMANTIQUE

Que le soleil est beau quand tout frais il se lève,
Comme une explosion nous lançant son bonjour !
— Bienheureux celui-là qui peut avec amour
4 Saluer son coucher plus glorieux qu'un rêve !

Je me souviens !... J'ai vu tout, fleur, source, sillon,
Se pâmer sous son œil comme un cœur qui palpite...
— Courons vers l'horizon, il est tard, courons vite,
8 Pour attraper au moins un oblique rayon !

Mais je poursuis en vain le Dieu qui se retire ;
L'irrésistible Nuit établit son empire,
11 Noire, humide, funeste et pleine de frissons ;

Une odeur de tombeau dans les ténèbres nage,
Et mon pied peureux froisse, au bord du marécage,
14 Des crapauds imprévus et de froids limaçons.

Pièces condamnées
tirées des
Fleurs du Mal

II

LESBOS

Mère des jeux latins et des voluptés grecques,
Lesbos, où les baisers, languissants ou joyeux,
Chauds comme les soleils, frais comme les pastèques,
Font l'ornement des nuits et des jours glorieux ;
5 Mère des jeux latins et des voluptés grecques,

Lesbos, où les baisers sont comme les cascades
Qui se jettent sans peur dans les gouffres sans fonds,
Et courent, sanglotant et gloussant par saccades,
Orageux et secrets, fourmillants et profonds ;
10 Lesbos, où les baisers sont comme les cascades !

Lesbos, où les Phrynés[1] l'une l'autre s'attirent,
Où jamais un soupir ne resta sans écho,
À l'égal de Paphos les étoiles t'admirent,
Et Vénus à bon droit peut jalouser Sapho !
15 Lesbos, où les Phrynés l'une l'autre s'attirent,

---

1. Courtisane grecque du IVe siècle avant J.-C., maîtresse de Praxi-
tèle.

Lesbos, terre des nuits chaudes et langoureuses,
Qui font qu'à leurs miroirs, stérile volupté !
Les filles aux yeux creux, de leurs corps amoureuses,
Caressent les fruits mûrs de leur nubilité ;
20 Lesbos, terre des nuits chaudes et langoureuses,

Laisse du vieux Platon se froncer l'œil austère ;
Tu tires ton pardon de l'excès des baisers,
Reine du doux empire, aimable et noble terre,
Et des raffinements toujours inépuisés.
25 Laisse du vieux Platon se froncer l'œil austère.

Tu tires ton pardon de l'éternel martyre,
Infligé sans relâche aux cœurs ambitieux,
Qu'attire loin de nous le radieux sourire
Entrevu vaguement au bord des autres cieux !
30 Tu tires ton pardon de l'éternel martyre !

Qui des Dieux osera, Lesbos, être ton juge
Et condamner ton front pâli dans les travaux,
Si ses balances d'or n'ont pesé le déluge
De larmes qu'à la mer ont versé tes ruisseaux ?
35 Qui des Dieux osera, Lesbos, être ton juge ?

Que nous veulent les lois du juste et de l'injuste ?
Vierges au cœur sublime, honneur de l'archipel,
Votre religion comme une autre est auguste,
Et l'amour se rira de l'Enfer et du Ciel !
40 Que nous veulent les lois du juste et de l'injuste ?

Car Lesbos entre tous m'a choisi sur la terre
Pour chanter le secret de ses vierges en fleurs,
Et je fus dès l'enfance admis au noir mystère

Des rires effrénés mêlés aux sombres pleurs ;
45 Car Lesbos entre tous m'a choisi sur la terre.

Et depuis lors je veille au sommet de Leucate [1],
Comme une sentinelle à l'œil perçant et sûr,
Qui guette nuit et jour brick, tartane ou frégate,
Dont les formes au loin frissonnent dans l'azur ;
50 Et depuis lors je veille au sommet de Leucate

Pour savoir si la mer est indulgente et bonne,
Et parmi les sanglots dont le roc retentit
Un soir ramènera vers Lesbos, qui pardonne,
Le cadavre adoré de Sapho, qui partit
55 Pour savoir si la mer est indulgente et bonne !

De la mâle Sapho, l'amante et le poëte,
Plus belle que Vénus par ses mornes pâleurs !
— L'œil d'azur est vaincu par l'œil noir que tachète
Le cercle ténébreux tracé par les douleurs
60 De la mâle Sapho, l'amante et le poëte !

— Plus belle que Vénus se dressant sur le monde
Et versant les trésors de sa sérénité
Et le rayonnement de sa jeunesse blonde
Sur le vieil Océan de sa fille enchanté ;
65 Plus belle que Vénus se dressant sur le monde !

— De Sapho qui mourut le jour de son blasphème,
Quand, insultant le rite et le culte inventé,
Elle fit son beau corps la pâture suprême
D'un brutal dont l'orgueil punit l'impiété
70 De celle qui mourut le jour de son blasphème.

_____

1. « Leucate » pour « Leucade » : presqu'île dont la falaise, selon la
tradition, était le lieu d'où se jetaient les amants malheureux.

Et c'est depuis ce temps que Lesbos se lamente,
Et malgré les honneurs que lui rend l'univers,
S'enivre chaque nuit du cri de la tourmente
Que poussent vers les cieux ses rivages déserts !
75 Et c'est depuis ce temps que Lesbos se lamente !

III

FEMMES DAMNÉES

Delphine et Hippolyte

À la pâle clarté des lampes languissantes,
Sur de profonds coussins tout imprégnés d'odeur,
Hippolyte rêvait aux caresses puissantes
4 Qui levaient le rideau de sa jeune candeur.

Elle cherchait, d'un œil troublé par la tempête,
De sa naïveté le ciel déjà lointain,
Ainsi qu'un voyageur qui retourne la tête
8 Vers les horizons bleus dépassés le matin.

De ses yeux amortis les paresseuses larmes,
L'air brisé, la stupeur, la morne volupté,
Ses bras vaincus, jetés comme de vaines armes,
12 Tout servait, tout parait sa fragile beauté.

Étendue à ses pieds, calme et pleine de joie,
Delphine la couvait avec des yeux ardents,
Comme un animal fort qui surveille une proie,
16 Après l'avoir d'abord marquée avec les dents.

Beauté forte à genoux devant la beauté frêle,
Superbe, elle humait voluptueusement
Le vin de son triomphe, et s'allongeait vers elle,
20　Comme pour recueillir un doux remercîment.

Elle cherchait dans l'œil de sa pâle victime
Le cantique muet que chante le plaisir,
Et cette gratitude infinie et sublime
24　Qui sort de la paupière ainsi qu'un long soupir.

— « Hippolyte, cher cœur, que dis-tu de ces choses ?
Comprends-tu maintenant qu'il ne faut pas offrir
L'holocauste sacré de tes premières roses
28　Aux souffles violents qui pourraient les flétrir ?

Mes baisers sont légers comme ces éphémères
Qui caressent le soir les grands lacs transparents,
Et ceux de ton amant creuseront leurs ornières
32　Comme des chariots ou des socs déchirants ;

Ils passeront sur toi comme un lourd attelage
De chevaux et de bœufs aux sabots sans pitié...
Hippolyte, ô ma sœur ! tourne donc ton visage,
36　Toi, mon âme et mon cœur, mon tout et ma moitié,

Tourne vers moi tes yeux pleins d'azur et d'étoiles !
Pour un de ces regards charmants, baume divin,
Des plaisirs plus obscurs je lèverai les voiles
40　Et je t'endormirai dans un rêve sans fin ! »

Mais Hippolyte alors, levant sa jeune tête :
— « Je ne suis point ingrate et ne me repens pas,
Ma Delphine, je souffre et je suis inquiète,
44　Comme après un nocturne et terrible repas.

Je sens fondre sur moi de lourdes épouvantes
Et de noirs bataillons de fantômes épars,
Qui veulent me conduire en des routes mouvantes
48 Qu'un horizon sanglant ferme de toutes parts.

Avons-nous donc commis une action étrange ?
Explique, si tu peux, mon trouble et mon effroi :
Je frissonne de peur quand tu me dis : « Mon ange ! »
52 Et cependant je sens ma bouche aller vers toi.

Ne me regarde pas ainsi, toi, ma pensée !
Toi que j'aime à jamais, ma sœur d'élection,
Quand même tu serais une embûche dressée
56 Et le commencement de ma perdition ! »

Delphine secouant sa crinière tragique,
Et comme trépignant sur le trépied de fer,
L'œil fatal, répondit d'une voix despotique :
60 — « Qui donc devant l'amour ose parler d'enfer ?

Maudit soit à jamais le rêveur inutile
Qui voulut le premier, dans sa stupidité,
S'éprenant d'un problème insoluble et stérile,
64 Aux choses de l'amour mêler l'honnêteté !

Celui qui veut unir dans un accord mystique
L'ombre avec la chaleur, la nuit avec le jour,
Ne chauffera jamais son corps paralytique
68 À ce rouge soleil que l'on nomme l'amour !

Va, si tu veux, chercher un fiancé stupide ;
Cours offrir un cœur vierge à ses cruels baisers ;
Et, pleine de remords et d'horreur, et livide,
72 Tu me rapporteras tes seins stigmatisés...

On ne peut ici-bas contenter qu'un seul maître!»
Mais l'enfant, épanchant une immense douleur,
Cria soudain: «— Je sens s'élargir dans mon être
76 Un abîme béant; cet abîme est mon cœur!

Brûlant comme un volcan, profond comme le vide!
Rien ne rassasiera ce monstre gémissant
Et ne rafraîchira la soif de l'Euménide
80 Qui, la torche à la main, le brûle jusqu'au sang.

Que nos rideaux fermés nous séparent du monde,
Et que la lassitude amène le repos!
Je veux m'anéantir dans ta gorge profonde
84 Et trouver sur ton sein la fraîcheur des tombeaux!»

— Descendez, descendez, lamentables victimes,
Descendez le chemin de l'enfer éternel!
Plongez au plus profond du gouffre, où tous les crimes,
88 Flagellés par un vent qui ne vient pas du ciel,

Bouillonnent pêle-mêle avec un bruit d'orage.
Ombres folles, courez au but de vos désirs;
Jamais vous ne pourrez assouvir votre rage,
92 Et votre châtiment naîtra de vos plaisirs.

Jamais un rayon frais n'éclaira vos cavernes;
Par les fentes des murs des miasmes fiévreux
Filtrent en s'enflammant ainsi que des lanternes
96 Et pénètrent vos corps de leurs parfums affreux.

L'âpre stérilité de votre jouissance
Altère votre soif et roidit votre peau,
Et le vent furibond de la concupiscence
100 Fait claquer votre chair ainsi qu'un vieux drapeau.

Loin des peuples vivants, errantes, condamnées,
À travers les déserts courez comme les loups ;
Faites votre destin, âmes désordonnées,
104 Et fuyez l'infini que vous portez en vous !

IV

LE LÉTHÉ

Viens sur mon cœur, âme cruelle et sourde,
Tigre adoré, monstre aux airs indolents ;
Je veux longtemps plonger mes doigts tremblants
4 Dans l'épaisseur de ta crinière lourde ;

Dans tes jupons remplis de ton parfum
Ensevelir ma tête endolorie,
Et respirer, comme une fleur flétrie,
8 Le doux relent de mon amour défunt.

Je veux dormir ! dormir plutôt que vivre !
Dans un sommeil aussi doux que la mort,
J'étalerai mes baisers sans remord
12 Sur ton beau corps poli comme le cuivre.

Pour engloutir mes sanglots apaisés
Rien ne me vaut l'abîme de ta couche ;
L'oubli puissant habite sur ta bouche,
16 Et le Léthé coule dans tes baisers.

À mon destin, désormais mon délice,
J'obéirai comme un prédestiné ;
Martyr docile, innocent condamné,
20 Dont la ferveur attise le supplice,

Je sucerai, pour noyer ma rancœur,
Le népenthès [1] et la bonne ciguë
Aux bouts charmants de cette gorge aiguë,
24 Qui n'a jamais emprisonné de cœur.

V

À CELLE QUI EST TROP GAIE

Ta tête, ton geste, ton air
Sont beaux comme un beau paysage ;
Le rire joue en ton visage
4 Comme un vent frais dans un ciel clair.

Le passant chagrin que tu frôles
Est ébloui par la santé
Qui jaillit comme une clarté
8 De tes bras et de tes épaules.

Les retentissantes couleurs
Dont tu parsèmes tes toilettes
Jettent dans l'esprit des poëtes
12 L'image d'un ballet de fleurs.

Ces robes folles sont l'emblème
De ton esprit bariolé ;
Folle dont je suis affolé,
16 Je te hais autant que je t'aime !

Quelquefois dans un beau jardin
Où je traînais mon atonie,

---

1. Chez les Grecs, breuvage magique qui supprimait la tristesse et
la colère.

J'ai senti, comme une ironie
20 Le soleil déchirer mon sein ;

Et le printemps et la verdure
Ont tant humilié mon cœur,
Que j'ai puni sur une fleur
24 L'insolence de la Nature.

Ainsi je voudrais, une nuit,
Quand l'heure des voluptés sonne,
Vers les trésors de ta personne,
28 Comme un lâche, ramper sans bruit,

Pour châtier ta chair joyeuse,
Pour meurtrir ton sein pardonné,
Et faire à ton flanc étonné
32 Une blessure large et creuse,

Et, vertigineuse douceur !
À travers ces lèvres nouvelles,
Plus éclatantes et plus belles,
36 T'infuser mon venin, ma sœur !

VI

LES BIJOUX

La très-chère était nue, et, connaissant mon cœur,
Elle n'avait gardé que ses bijoux sonores,
Dont le riche attirail lui donnait l'air vainqueur
4 Qu'ont dans leurs jours heureux les esclaves des Mores.

Quand il jette en dansant son bruit vif et moqueur,
Ce monde rayonnant de métal et de pierre

Me ravit en extase, et j'aime à la fureur
8 Les choses où le son se mêle à la lumière.

Elle était donc couchée et se laissait aimer,
Et du haut du divan elle souriait d'aise
À mon amour profond et doux comme la mer,
12 Qui vers elle montait comme vers sa falaise.

Les yeux fixés sur moi, comme un tigre dompté,
D'un air vague et rêveur elle essayait des poses,
Et la candeur unie à la lubricité
16 Donnait un charme neuf à ses métamorphoses ;

Et son bras et sa jambe, et sa cuisse et ses reins,
Polis comme de l'huile, onduleux comme un cygne,
Passaient devant mes yeux clairvoyants et sereins ;
20 Et son ventre et ses seins, ces grappes de ma vigne,

S'avançaient, plus câlins que les Anges du mal,
Pour troubler le repos où mon âme était mise,
Et pour la déranger du rocher de cristal
24 Où, calme et solitaire, elle s'était assise.

Je croyais voir unis par un nouveau dessin
Les hanches de l'Antiope[1] au buste d'un imberbe,
Tant sa taille faisait ressortir son bassin.
28 Sur ce teint fauve et brun le fard était superbe !

— Et la lampe s'étant résignée à mourir,
Comme le foyer seul illuminait la chambre,
Chaque fois qu'il poussait un flamboyant soupir,
32 Il inondait de sang cette peau couleur d'ambre !

---

1. Fille du roi de Thèbes, séduite dans son sommeil par Zeus qui
avait pris les traits d'un satyre, mère d'Amphyon.

VII

LES MÉTAMORPHOSES
DU VAMPIRE

La femme cependant, de sa bouche de fraise,
En se tordant ainsi qu'un serpent sur la braise,
Et pétrissant ses seins sur le fer de son busc,
Laissait couler ces mots tout imprégnés de musc :
5 — « Moi, j'ai la lèvre humide, et je sais la science
De perdre au fond d'un lit l'antique conscience.
Je sèche tous les pleurs sur mes seins triomphants,
Et fais rire les vieux du rire des enfants.
Je remplace, pour qui me voit nue et sans voiles,
10 La lune, le soleil, le ciel et les étoiles !
Je suis, mon cher savant, si docte aux voluptés,
Lorsque j'étouffe un homme en mes bras redoutés,
Ou lorsque j'abandonne aux morsures mon buste,
Timide et libertine, et fragile et robuste,
15 Que sur ces matelas qui se pâment d'émoi,
Les anges impuissants se damneraient pour moi ! »

Quand elle eut de mes os sucé toute la moelle,
Et que languissamment je me tournai vers elle
Pour lui rendre un baiser d'amour, je ne vis plus
20 Qu'une outre aux flancs gluants, toute pleine de pus !
Je fermai les deux yeux, dans ma froide épouvante,
Et quand je les rouvris à la clarté vivante,
À mes côtés, au lieu du mannequin puissant
Qui semblait avoir fait provision de sang,
25 Tremblaient confusément des débris de squelette,
Qui d'eux-mêmes rendaient le cri d'une girouette
Ou d'une enseigne, au bout d'une tringle de fer,
Que balance le vent pendant les nuits d'hiver.

Galanteries

VIII

LE JET D'EAU

Tes beaux yeux sont las, pauvre amante !
Reste longtemps, sans les rouvrir,
Dans cette pose nonchalante
4 Où t'a surprise le plaisir.
Dans la cour le jet d'eau qui jase
Et ne se tait ni nuit ni jour,
Entretient doucement l'extase
8 Où ce soir m'a plongé l'amour.

La gerbe épanouie
    En mille fleurs,
Où Phœbé réjouie
    Met ses couleurs,
Tombe comme une pluie
14   De larges pleurs.

Ainsi ton âme qu'incendie
L'éclair brûlant des voluptés
S'élance, rapide et hardie,
18 Vers les vastes cieux enchantés.

Puis, elle s'épanche, mourante,
En un flot de triste langueur,
Qui par une invisible pente
22 Descend jusqu'au fond de mon cœur.

La gerbe épanouie
     En mille fleurs,
Où Phœbé réjouie
     Met ses couleurs,
Tombe comme une pluie
28   De larges pleurs.

Ô toi, que la nuit rend si belle,
Qu'il m'est doux, penché vers tes seins,
D'écouter la plainte éternelle
32 Qui sanglote dans les bassins !
Lune, eau sonore, nuit bénie,
Arbres qui frissonnez autour,
Votre pure mélancolie
36 Est le miroir de mon amour.

La gerbe épanouie
     En mille fleurs,
Où Phœbé réjouie
     Met ses couleurs,
Tombe comme une pluie
42   De larges pleurs.

IX

LES YEUX DE BERTHE

Vous pouvez mépriser les yeux les plus célèbres,
Beaux yeux de mon enfant, par où filtre et s'enfuit

Je ne sais quoi de bon, de doux comme la Nuit !
4 Beaux yeux, versez sur moi vos charmantes ténèbres !

Grands yeux de mon enfant, arcanes adorés,
Vous ressemblez beaucoup à ces grottes magiques
Où, derrière l'amas des ombres léthargiques,
8 Scintillent vaguement des trésors ignorés !

Mon enfant a des yeux obscurs, profonds et vastes,
Comme toi, Nuit immense, éclairés comme toi !
Leurs feux sont ces pensers d'Amour, mêlés de Foi,
12 Qui pétillent au fond, voluptueux ou chastes.

X

HYMNE

À la très-chère, à la très-belle
Qui remplit mon cœur de clarté,
À l'ange, à l'idole immortelle,
4 Salut en l'immortalité !

Elle se répand dans ma vie
Comme un air imprégné de sel,
Et dans mon âme inassouvie
8 Verse le goût de l'éternel.

Sachet toujours frais qui parfume
L'atmosphère d'un cher réduit,
Encensoir oublié qui fume
12 En secret à travers la nuit,

Comment, amour incorruptible,
T'exprimer avec vérité ?

Grain de musc qui gis, invisible,
16 Au fond de mon éternité !

À la très-bonne, à la très-belle,
Qui fait ma joie et ma santé,
À l'ange, à l'idole immortelle,
20 Salut en l'immortalité !

XI

LES PROMESSES D'UN VISAGE

J'aime, ô pâle beauté, tes sourcils surbaissés,
    D'où semblent couler des ténèbres ;
Tes yeux, quoique très-noirs, m'inspirent des pensers
4   Qui ne sont pas du tout funèbres ;

Tes yeux, qui sont d'accord avec tes noirs cheveux,
    Avec ta crinière élastique,
Tes yeux, languissamment, me disent : « Si tu veux,
8   Amant de la muse plastique,

Suivre l'espoir qu'en toi nous avons excité,
    Et tous les goûts que tu professes,
Tu pourras constater notre véracité,
12   Depuis le nombril jusqu'aux fesses ;

Tu trouveras au bout de deux beaux seins bien lourds,
    Deux larges médailles de bronze,
Et sous un ventre uni, doux comme du velours,
16   Bistré comme la peau d'un bonze,

Une riche toison qui, vraiment, est la sœur
    De cette énorme chevelure,

Souple et frisée, et qui t'égale en épaisseur,
20   Nuit sans étoiles, Nuit obscure ! »

XII

LE MONSTRE
OU LE PARANYMPHE
D'UNE NYMPHE MACABRE

I

Tu n'es certes pas, ma très-chère,
Ce que Veuillot[1] nomme un tendron.
Le jeu, l'amour, la bonne chère,
Bouillonnent en toi, vieux chaudron !
5 Tu n'es plus fraîche, ma très-chère,

Ma vieille infante ! Et cependant
Tes caravanes insensées
T'ont donné ce lustre abondant
Des choses qui sont très-usées,
10 Mais qui séduisent cependant.

Je ne trouve pas monotone
La verdeur de tes quarante ans ;
Je préfère tes fruits, Automne,
Aux fleurs banales du Printemps !
15 Non ! tu n'es jamais monotone !

Ta carcasse a des agréments
Et des grâces particulières ;
Je trouve d'étranges piments

---

1. Louis Veuillot (1813-1883) : journaliste, rédacteur de *L'Univers*.

Dans le creux de tes deux salières ;
20 Ta carcasse a des agréments !

Nargue des amants ridicules
Du melon et du giraumont[1] !
Je préfère tes clavicules
À celles du roi Salomon,
25 Et je plains ces gens ridicules !

Tes cheveux, comme un casque bleu,
Ombragent ton front de guerrière,
Qui ne pense et rougit que peu,
Et puis se sauvent par derrière,
30 Comme les crins d'un casque bleu.

Tes yeux qui semblent de la boue,
Où scintille quelque fanal,
Ravivés au fard de ta joue,
Lancent un éclair infernal !
35 Tes yeux sont noirs comme la boue !

Par sa luxure et son dédain
Ta lèvre amère nous provoque
Cette lèvre, c'est un Éden
Qui nous attire et qui nous choque.
40 Quelle luxure ! et quel dédain !

Ta jambe musculeuse et sèche
Sait gravir au haut des volcans,
Et malgré la neige et la dèche
Danser les plus fougueux cancans.
45 Ta jambe est musculeuse et sèche ;

---

1. Courge d'Amérique.

Ta peau brûlante et sans douceur,
Comme celle des vieux gendarmes,
Ne connaît pas plus la sueur
Que ton œil ne connaît les larmes.
50 (Et pourtant elle a sa douceur!)

II

Sotte, tu t'en vas droit au Diable!
Volontiers j'irais avec toi,
Si cette vitesse effroyable
Ne me causait pas quelque émoi.
55 Va-t'en donc, toute seule, au Diable!

Mon rein, mon poumon, mon jarret
Ne me laissent plus rendre hommage
À ce Seigneur, comme il faudrait.
« Hélas! c'est vraiment bien dommage! »
60 Disent mon rein et mon jarret.

Oh! très-sincèrement je souffre
De ne pas aller aux sabbats,
Pour voir, quand il pète du soufre,
Comment tu lui baises son cas!
65 Oh! très-sincèrement je souffre!

Je suis diablement affligé
De ne pas être ta torchère,
Et de te demander congé,
Flambeau d'enfer! Juge, ma chère,
70 Combien je dois être affligé,

Puisque depuis longtemps je t'aime,
Étant très-logique! En effet,

Voulant du Mal chercher la crème
Et n'aimer qu'un monstre parfait,
75 Vraiment oui ! vieux monstre, je t'aime !

XIII

FRANCISCÆ MEÆ LAUDES

Vers composés pour une modiste érudite et dévote
(*Voir ci-dessus,* LES FLEURS DU MAL, *LX.*)

Épigraphes

XIV

VERS POUR LE PORTRAIT
DE M. HONORÉ DAUMIER

Celui dont nous t'offrons l'image,
Et dont l'art, subtil entre tous,
Nous enseigne à rire de nous,
4 Celui-là, lecteur, est un sage.

C'est un satirique, un moqueur ;
Mais l'énergie avec laquelle
Il peint le Mal et sa séquelle,
8 Prouve la beauté de son cœur.

Son rire n'est pas la grimace
De Melmoth[1] ou de Méphisto
Sous la torche de l'Alecto[2]
12 Qui les brûle, mais qui nous glace.

---

1. « Melmoth » : personnage et titre du roman préromantique de Mathurin publié en 1820, dont l'intrigue est fortement influencée par *Don Juan* et *Faust*.
2. « Alecto » : une des trois Furies ou Érinyes.

Leur rire, hélas ! de la gaîté
N'est que la douloureuse charge ;
Le sien rayonne, franc et large,
16 Comme un signe de sa bonté !

XV

LOLA DE VALENCE

Entre tant de beautés que partout on peut voir,
Je comprends bien, amis, que le désir balance ;
Mais on voit scintiller en Lola de Valence[1]
Le charme inattendu d'un bijou rose et noir.

XVI

SUR *LE TASSE EN PRISON*

d'Eugène Delacroix

Le poëte au cachot, débraillé, maladif,
Roulant un manuscrit sous son pied convulsif,
Mesure d'un regard que la terreur enflamme
4 L'escalier de vertige où s'abîme son âme.

Les rires enivrants dont s'emplit la prison
Vers l'étrange et l'absurde invitent sa raison ;
Le Doute l'environne, et la Peur ridicule,
8 Hideuse et multiforme, autour de lui circule.

---

1. Tableau d'Édouard Manet.

Ce génie enfermé dans un taudis malsain,
Ces grimaces, ces cris, ces spectres dont l'essaim
11 Tourbillonne, ameuté derrière son oreille,

Ce rêveur que l'horreur de son logis réveille,
Voilà bien ton emblème, Âme aux songes obscurs,
14 Que le Réel étouffe entre ses quatre murs !

Pièces diverses

XVII

LA VOIX

Mon berceau s'adossait à la bibliothèque,
Babel sombre, où roman, science, fabliau,
Tout, la cendre latine et la poussière grecque,
Se mêlaient. J'étais haut comme un in-folio.
5 Deux voix me parlaient. L'une, insidieuse et ferme,
Disait : « La Terre est un gâteau plein de douceur ;
Je puis (et ton plaisir serait alors sans terme !)
Te faire un appétit d'une égale grosseur. »
Et l'autre : « Viens ! oh ! viens voyager dans les rêves,
10 Au delà du possible, au delà du connu ! »
Et celle-là chantait comme le vent des grèves,
Fantôme vagissant, on ne sait d'où venu,
Qui caresse l'oreille et cependant l'effraie.
Je te répondis : « Oui ! douce voix ! » C'est d'alors
15 Que date ce qu'on peut, hélas ! nommer ma plaie
Et ma fatalité. Derrière les décors
De l'existence immense, au plus noir de l'abîme,
Je vois distinctement des mondes singuliers,
Et, de ma clairvoyance extatique victime,
20 Je traîne des serpents qui mordent mes souliers.

Et c'est depuis ce temps que, pareil aux prophètes,
J'aime si tendrement le désert et la mer ;
Que je ris dans les deuils et pleure dans les fêtes,
Et trouve un goût suave au vin le plus amer ;
25 Que je prends très-souvent les faits pour des mensonges,
Et que, les yeux au ciel, je tombe dans des trous.
Mais la voix me console et dit : « Garde tes songes ;
Les sages n'en ont pas d'aussi beaux que les fous ! »

XVIII

L'IMPRÉVU

Harpagon, qui veillait son père agonisant,
Se dit, rêveur, devant ces lèvres déjà blanches :
« Nous avons au grenier un nombre suffisant,
4 　　　Ce me semble, de vieilles planches ? »

Célimène roucoule et dit : « Mon cœur est bon,
Et naturellement, Dieu m'a faite très-belle. »
— Son cœur ! cœur racorni, fumé comme un jambon,
8 　　　Recuit à la flamme éternelle !

Un gazetier fumeux, qui se croit un flambeau,
Dit au pauvre, qu'il a noyé dans les ténèbres :
« Où donc l'aperçois-tu, ce créateur du Beau,
12 　　　Ce Redresseur que tu célèbres ? »

Mieux que tous, je connais certain voluptueux
Qui bâille nuit et jour, et se lamente et pleure,
Répétant, l'impuissant et le fat : « Oui, je veux
16 　　　Être vertueux, dans une heure ! »

L'horloge, à son tour, dit à voix basse : « Il est mûr,
Le damné ! J'avertis en vain la chair infecte.
L'homme est aveugle, sourd, fragile, comme un mur
20　　　　Qu'habite et que ronge un insecte ! »

Et puis, Quelqu'un paraît, que tous avaient nié,
Et qui leur dit, railleur et fier : « Dans mon ciboire,
Vous avez, que je crois, assez communié,
24　　　　À la joyeuse Messe noire ?

Chacun de vous m'a fait un temple dans son cœur ;
Vous avez, en secret, baisé ma fesse immonde !
Reconnaissez Satan à son rire vainqueur,
28　　　　Énorme et laid comme le monde !

Avez-vous donc pu croire, hypocrites surpris,
Qu'on se moque du maître, et qu'avec lui l'on triche,
Et qu'il soit naturel de recevoir deux prix,
32　　　　D'aller au Ciel et d'être riche ?

Il faut que le gibier paye le vieux chasseur
Qui se morfond longtemps à l'affût de la proie.
Je vais vous emporter à travers l'épaisseur,
36　　　　Compagnons de ma triste joie,

À travers l'épaisseur de la terre et du roc,
À travers les amas confus de votre cendre,
Dans un palais aussi grand que moi, d'un seul bloc,
40　　　　Et qui n'est pas de pierre tendre ;

Car il est fait avec l'universel Péché,
Et contient mon orgueil, ma douleur et ma gloire ! »
— Cependant, tout en haut de l'univers juché,
44　　　　Un ange sonne la victoire

De ceux dont le cœur dit : « Que béni soit ton fouet,
Seigneur ! que la douleur, ô Père, soit bénie !
Mon âme dans tes mains n'est pas un vain jouet,
48   Et ta prudence est infinie. »

Le son de la trompette est si délicieux,
Dans ces soirs solennels de célestes vendanges,
Qu'il s'infiltre comme une extase dans tous ceux
52   Dont elle chante les louanges.

XIX

LA RANÇON

L'homme a, pour payer sa rançon,
Deux champs au tuf profond et riche,
Qu'il faut qu'il remue et défriche
4 Avec le fer de la raison ;

Pour obtenir la moindre rose,
Pour extorquer quelques épis,
Des pleurs salés de son front gris
8 Sans cesse il faut qu'il les arrose.

L'un est l'Art, et l'autre l'Amour.
— Pour rendre le juge propice,
Lorsque de la stricte justice
12 Paraîtra le terrible jour,

Il faudra lui montrer des granges
Pleines de moissons, et des fleurs
Dont les formes et les couleurs
16 Gagnent le suffrage des Anges.

XX

À UNE MALABARAISE

Tes pieds sont aussi fins que tes mains, et ta hanche
Est large à faire envie à la plus belle blanche;
À l'artiste pensif ton corps est doux et cher;
Tes grands yeux de velours sont plus noirs que ta chair.
5 Aux pays chauds et bleus où ton Dieu t'a fait naître,
Ta tâche est d'allumer la pipe de ton maître,
De pourvoir les flacons d'eaux fraîches et d'odeurs,
De chasser loin du lit les moustiques rôdeurs,
Et, dès que le matin fait chanter les platanes,
10 D'acheter au bazar ananas et bananes.
Tout le jour, où tu veux, tu mènes tes pieds nus,
Et fredonnes tout bas de vieux airs inconnus;
Et quand descend le soir au manteau d'écarlate,
Tu poses doucement ton corps sur une natte,
15 Où tes rêves flottants sont pleins de colibris,
Et toujours, comme toi, gracieux et fleuris.
Pourquoi, l'heureuse enfant, veux-tu voir notre France,
Ce pays trop peuplé que fauche la souffrance,
Et, confiant ta vie aux bras forts des marins,
20 Faire de grands adieux à tes chers tamarins?
Toi, vêtue à moitié de mousselines frêles,
Frissonnante là-bas sous la neige et les grêles,
Comme tu pleurerais tes loisirs doux et francs,
Si, le corset brutal emprisonnant tes flancs,
25 Il te fallait glaner ton souper dans nos fanges
Et vendre le parfum de tes charmes étranges,
L'œil pensif, et suivant, dans nos sales brouillards,
28 Des cocotiers absents les fantômes épars!

Bouffonneries

XXI

SUR LES DÉBUTS
D'AMINA BOSCHETTI

au théâtre de la Monnaie, à Bruxelles

Amina bondit, — fuit, — puis voltige et sourit;
Le Welche dit: «Tout ça, pour moi, c'est du prâcrit;
Je ne connais, en fait de nymphes bocagères,
4 Que celles de *Montagne-aux-Herbes-Potagères*.»

Du bout de son pied fin et de son œil qui rit,
Amina verse à flots le délire et l'esprit;
Le Welche dit: «Fuyez, délices mensongères!
8 Mon épouse n'a pas ces allures légères.»

Vous ignorez, sylphide au jarret triomphant,
Qui voulez enseigner la walse à l'éléphant,
11 Au hibou la gaîté, le rire à la cigogne,

Que sur la grâce en feu le Welche dit: «Haro!»
Et que le doux Bacchus lui versant du bourgogne,
14 Le monstre répondrait: «J'aime mieux le faro!»

XXII

À M. EUGÈNE FROMENTIN
À PROPOS D'UN IMPORTUN
QUI SE DISAIT SON AMI

Il me dit qu'il était très-riche,
Mais qu'il craignait le choléra :
— Que de son or il était chiche,
4 Mais qu'il goûtait fort l'Opéra ;

— Qu'il raffolait de la nature,
Ayant connu monsieur Corot ;
— Qu'il n'avait pas encor voiture,
8 Mais que cela viendrait bientôt ;

— Qu'il aimait le marbre et la brique,
Les bois noirs et les bois dorés ;
— Qu'il possédait dans sa fabrique
12 Trois contre-maîtres décorés ;

— Qu'il avait, sans compter le reste,
Vingt mille actions sur le *Nord* ;
— Qu'il avait trouvé, pour un zeste,
16 Des encadrements d'Oppennord ;

— Qu'il donnerait (fût-ce à Luzarches !)
Dans le bric-à-brac jusqu'au cou,
Et qu'au Marché des Patriarches
20 Il avait fait plus d'un bon coup ;

— Qu'il n'aimait pas beaucoup sa femme,
Ni sa mère ; — mais qu'il croyait
À l'immortalité de l'âme,
24 Et qu'il avait lu Niboyet !

— Qu'il penchait pour l'amour physique,
Et qu'à Rome, séjour d'ennui,
Une femme, d'ailleurs phthisique,
28 Était morte d'amour pour lui.

Pendant trois heures et demie,
Ce bavard, venu de Tournai,
M'a dégoisé toute sa vie ;
32 J'en ai le cerveau consterné.

S'il fallait décrire ma peine,
Ce serait à n'en plus finir ;
Je me disais, domptant ma haine :
36 « Au moins, si je pouvais dormir ! »

Comme un qui n'est pas à son aise,
Et qui n'ose pas s'en aller,
Je frottais de mon cul ma chaise,
40 Rêvant de le faire empaler.

Ce monstre se nomme Bastogne ;
Il fuyait devant le fléau.
Moi, je fuirai jusqu'en Gascogne,
44 Ou j'irai me jeter à l'eau,

Si dans ce Paris, qu'il redoute,
Quand chacun sera retourné,
Je trouve encore sur ma route
48 Ce fléau, natif de Tournai.

Bruxelles, 1865

XXIII

UN CABARET FOLÂTRE
SUR LA ROUTE DE BRUXELLES À UCCLE

Vous qui raffolez des squelettes
Et des emblèmes détestés,
Pour épicer les voluptés,
4 (Fût-ce de simples omelettes !)

Vieux Pharaon, ô Monselet !
Devant cette enseigne imprévue,
J'ai rêvé de vous : *À la vue*
8 *Du Cimetière, Estaminet !*

*Apport
de la troisième édition
des*
Fleurs du Mal
(1868)

I

ÉPIGRAPHE
POUR UN LIVRE CONDAMNÉ

Lecteur paisible et bucolique,
Sobre et naïf homme de bien,
Jette ce livre saturnien,
4 Orgiaque et mélancolique.

Si tu n'as fait ta rhétorique
Chez Satan, le rusé doyen,
Jette ! tu n'y comprendrais rien,
8 Ou tu me croirais hystérique.

Mais si, sans se laisser charmer,
Ton œil sait plonger dans les gouffres,
11 Lis-moi, pour apprendre à m'aimer ;

Âme curieuse qui souffres
Et vas cherchant ton paradis,
14 Plains-moi !... Sinon, je te maudis !

II

À THÉODORE DE BANVILLE
(1842)

Vous avez empoigné les crins de la Déesse
Avec un tel poignet, qu'on vous eût pris, à voir
Et cet air de maîtrise et ce beau nonchaloir,
4 Pour un jeune ruffian terrassant sa maîtresse.

L'œil clair et plein du feu de la précocité,
Vous avez prélassé votre orgueil d'architecte
Dans des constructions dont l'audace correcte
8 Fait voir quelle sera votre maturité.

Poëte, notre sang nous fuit par chaque pore ;
Est-ce que par hasard la robe du Centaure,
11 Qui changeait toute veine en funèbre ruisseau,

Était teinte trois fois dans les baves subtiles
De ces vindicatifs et monstrueux reptiles
14 Que le petit Hercule étranglait au berceau ?

III

LE CALUMET DE PAIX

Imité de Longfellow

I

Or Gitche Manito, le Maître de la Vie,
Le Puissant, descendit dans la verte prairie,

Dans l'immense prairie aux coteaux montueux ;
Et là, sur les rochers de la Rouge Carrière,
Dominant tout l'espace et baigné de lumière,
6 Il se tenait debout, vaste et majestueux.

Alors il convoqua les peuples innombrables,
Plus nombreux que ne sont les herbes et les sables.
Avec sa main terrible il rompit un morceau
Du rocher, dont il fit une pipe superbe,
Puis, au bord du ruisseau, dans une énorme gerbe,
12 Pour s'en faire un tuyau, choisit un long roseau.

Pour la bourrer il prit au saule son écorce ;
Et lui, le Tout-Puissant, Créateur de la Force,
Debout, il alluma, comme un divin fanal,
La Pipe de la Paix. Debout sur la Carrière
Il fumait, droit, superbe et baigné de lumière.
18 Or pour les nations c'était le grand signal.

Et lentement montait la divine fumée
Dans l'air doux du matin, onduleuse, embaumée.
Et d'abord ce ne fut qu'un sillon ténébreux ;
Puis la vapeur se fit plus bleue et plus épaisse,
Puis blanchit ; et montant, et grossissant sans cesse,
24 Elle alla se briser au dur plafond des cieux.

Des plus lointains sommets des Montagnes Rocheuses,
Depuis les lacs du Nord aux ondes tapageuses,
Depuis Tawasentha, le vallon sans pareil,
Jusqu'à Tuscaloosa, la forêt parfumée,
Tous virent le signal et l'immense fumée
30 Montant paisiblement dans le matin vermeil.

Les Prophètes disaient : « Voyez-vous cette bande
De vapeur, qui, semblable à la main qui commande,

Oscille et se détache en noir sur le soleil ?
C'est Gitche Manito, le Maître de la Vie,
Qui dit aux quatre coins de l'immense prairie :
36 « Je vous convoque tous, guerriers, à mon conseil ! »

Par le chemin des eaux, par la route des plaines,
Par les quatre côtés d'où soufflent les haleines
Du vent, tous les guerriers de chaque tribu, tous,
Comprenant le signal du nuage qui bouge,
Vinrent docilement à la Carrière Rouge
42 Où Gitche Manito leur donnait rendez-vous.

Les guerriers se tenaient sur la verte prairie,
Tous équipés en guerre, et la mine aguerrie,
Bariolés ainsi qu'un feuillage automnal ;
Et la haine qui fait combattre tous les êtres,
La haine qui brûlait les yeux de leurs ancêtres
48 Incendiait encor leurs yeux d'un feu fatal.

Et leurs yeux étaient pleins de haine héréditaire
Or Gitche Manito, le Maître de la Terre,
Les considérait tous avec compassion,
Comme un père très-bon, ennemi du désordre,
Qui voit ses chers petits batailler et se mordre.
54 Tel Gitche Manito pour toute nation.

Il étendit sur eux sa puissante main droite
Pour subjuguer leur cœur et leur nature étroite,
Pour rafraîchir leur fièvre à l'ombre de sa main ;
Puis il leur dit avec sa voix majestueuse,
Comparable à la voix d'une eau tumultueuse
60 Qui tombe et rend un son monstrueux, surhumain :

II

« Ô ma postérité, déplorable et chérie !
Ô mes fils ! écoutez la divine raison.
C'est Gitche Manito, le Maître de la Vie,
Qui vous parle ! celui qui dans votre patrie
65 A mis l'ours, le castor, le renne et le bison.

Je vous ai fait la chasse et la pêche faciles ;
Pourquoi donc le chasseur devient-il assassin ?
Le marais fut par moi peuplé de volatiles ;
Pourquoi n'êtes-vous pas contents, fils indociles ?
70 Pourquoi l'homme fait-il la chasse à son voisin ?

Je suis vraiment bien las de vos horribles guerres.
Vos prières, vos vœux mêmes sont des forfaits !
Le péril est pour vous dans vos humeurs contraires,
Et c'est dans l'union qu'est votre force. En frères
75 Vivez donc, et sachez vous maintenir en paix.

Bientôt vous recevrez de ma main un Prophète
Qui viendra vous instruire et souffrir avec vous.
Sa parole fera de la vie une fête ;
Mais si vous méprisez sa sagesse parfaite,
80 Pauvres enfants maudits, vous disparaîtrez tous !

Effacez dans les flots vos couleurs meurtrières.
Les roseaux sont nombreux et le roc est épais ;
Chacun en peut tirer sa pipe. Plus de guerres,
Plus de sang ! Désormais vivez comme des frères,
85 Et tous, unis, fumez le Calumet de Paix ! »

III

Et soudain tous, jetant leurs armes sur la terre,
Lavent dans le ruisseau les couleurs de la guerre
Qui luisaient sur leurs fronts cruels et triomphants.
Chacun creuse une pipe et cueille sur la rive
Un long roseau qu'avec adresse il enjolive.
91 Et l'Esprit souriait à ses pauvres enfants !

Chacun s'en retourna l'âme calme et ravie,
Et Gitche Manito, le Maître de la Vie,
Remonta par la porte entr'ouverte des cieux.
— À travers la vapeur splendide du nuage
Le Tout-Puissant montait, content de son ouvrage,
97 Immense, parfumé, sublime, radieux !

IV

LA PRIÈRE D'UN PAÏEN

Ah ! ne ralentis pas tes flammes ;
Réchauffe mon cœur engourdi,
Volupté, torture des âmes !
4 *Diva ! supplicem exaudî !*

Déesse dans l'air répandue,
Flamme dans notre souterrain !
Exauce une âme morfondue,
8 Qui te consacre un chant d'airain.

Volupté, sois toujours reine !
Prends le masque d'une sirène
11 Faite de chair et de velours,

Ou verse-moi tes sommeils lourds
Dans le vin informe et mystique,
14　Volupté, fantôme élastique !

V

LE COUVERCLE

En quelque lieu qu'il aille, ou sur mer ou sur terre,
Sous un climat de flamme ou sous un soleil blanc,
Serviteur de Jésus, courtisan de Cythère,
4　Mendiant ténébreux ou Crésus rutilant,

Citadin, campagnard, vagabond, sédentaire,
Que son petit cerveau soit actif ou soit lent,
Partout l'homme subit la terreur du mystère,
8　Et ne regarde en haut qu'avec un œil tremblant.

En haut, le Ciel ! ce mur de caveau qui l'étouffe,
Plafond illuminé par un opéra bouffe [1]
11　Où chaque histrion foule un sol ensanglanté ;

Terreur du libertin, espoir du fol ermite ;
Le Ciel ! couvercle noir de la grande marmite
14　Où bout l'imperceptible et vaste Humanité.

———

1. Opéra joué au Théâtre-Italien, dont les personnages et le sujet sont empruntés à la comédie.

VI

L'EXAMEN DE MINUIT

La pendule, sonnant minuit,
Ironiquement nous engage
À nous rappeler quel usage
Nous fîmes du jour qui s'enfuit :
— Aujourd'hui, date fatidique,
Vendredi, treize, nous avons,
Malgré tout ce que nous savons,
8 Mené le train d'un hérétique.

Nous avons blasphémé Jésus,
Des Dieux le plus incontestable !
Comme un parasite à la table
De quelque monstrueux Crésus,
Nous avons, pour plaire à la brute,
Digne vassale des Démons,
Insulté ce que nous aimons
16 Et flatté ce qui nous rebute ;

Contristé, servile bourreau,
Le faible qu'à tort on méprise ;
Salué l'énorme Bêtise,
La Bêtise au front de taureau ;
Baisé la stupide Matière
Avec grande dévotion,
Et de la putréfaction
24 Béni la blafarde lumière.

Enfin, nous avons, pour noyer
Le vertige dans le délire,
Nous, prêtre orgueilleux de la Lyre,

Dont la gloire est de déployer
L'ivresse des choses funèbres,
Bu sans soif et mangé sans faim !…
— Vite soufflons la lampe, afin
32 De nous cacher dans les ténèbres !

VII

MADRIGAL TRISTE

I

Que m'importe que tu sois sage ?
Sois belle ! et sois triste ! Les pleurs
Ajoutent un charme au visage,
Comme le fleuve au paysage ;
5 L'orage rajeunit les fleurs.

Je t'aime surtout quand la joie
S'enfuit de ton front terrassé ;
Quand ton cœur dans l'horreur se noie ;
Quand sur ton présent se déploie
10 Le nuage affreux du passé.

Je t'aime quand ton grand œil verse
Une eau chaude comme le sang ;
Quand, malgré ma main qui te berce,
Ton angoisse, trop lourde, perce
15 Comme un râle d'agonisant.

J'aspire, volupté divine !
Hymne profond, délicieux !
Tous les sanglots de ta poitrine,
Et crois que ton cœur s'illumine
20 Des perles que versent tes yeux !

II

Je sais que ton cœur, qui regorge
De vieux amours déracinés,
Flamboie encor comme une forge,
Et que tu couves sous ta gorge
25 Un peu de l'orgueil des damnés ;

Mais tant, ma chère, que tes rêves
N'auront pas reflété l'Enfer,
Et qu'en un cauchemar sans trêves,
Songeant de poisons et de glaives,
30 Éprise de poudre et de fer,

N'ouvrant à chacun qu'avec crainte,
Déchiffrant le malheur partout,
Te convulsant quand l'heure tinte,
Tu n'auras pas senti l'étreinte
35 De l'irrésistible Dégoût,

Tu ne pourras, esclave reine
Qui ne m'aimes qu'avec effroi,
Dans l'horreur de la nuit malsaine
Me dire, l'âme de cris pleine :
40 « Je suis ton égale, ô mon Roi ! »

VIII

L'AVERTISSEUR

Tout homme digne de ce nom
A dans le cœur un Serpent jaune,
Installé comme sur un trône,
4 Qui, s'il dit : « Je veux ! » répond « Non ! »

Plonge tes yeux dans les feux fixes
Des Satyresses ou des Nixes,
7 La Dent dit : « Pense à ton devoir ! »

Fais des enfants, plante des arbres,
Polis des vers, sculpte des marbres,
10 La Dent dit : « Vivras-tu ce soir ? »

Quoi qu'il ébauche ou qu'il espère,
L'homme ne vit pas un moment
Sans subir l'avertissement
14 De l'insupportable Vipère.

IX

LE REBELLE

Un Ange furieux fond du ciel comme un aigle,
Du mécréant saisit à plein poing les cheveux,
Et dit, le secouant : « Tu connaîtras la règle !
4 (Car je suis ton bon Ange, entends-tu ?) Je le veux !

Sache qu'il faut aimer, sans faire la grimace,
Le pauvre, le méchant, le tortu, l'hébété,
Pour que tu puisses faire à Jésus, quand il passe,
8 Un tapis triomphal avec ta charité.

Tel est l'Amour ! Avant que ton cœur ne se blase,
À la gloire de Dieu rallume ton extase ;
11 C'est la Volupté vraie aux durables appas ! »

Et l'Ange, châtiant autant, ma foi ! qu'il aime,
De ses poings de géant torture l'anathème ;
14 Mais le damné répond toujours : « Je ne veux pas ! »

X

BIEN LOIN D'ICI

C'est ici la case sacrée
Où cette fille très-parée,
3 Tranquille et toujours préparée,

D'une main éventant ses seins,
Et son coude dans les coussins,
6 Écoute pleurer les bassins :

C'est la chambre de Dorothée.
— La brise et l'eau chantent au loin
Leur chanson de sanglots heurtée
10 Pour bercer cette enfant gâtée.

Du haut en bas, avec grand soin,
Sa peau délicate est frottée
D'huile odorante et de benjoin.
14 — Des fleurs se pâment dans un coin.

XI

LE GOUFFRE

Pascal avait son gouffre, avec lui se mouvant.
— Hélas ! tout est abîme, — action, désir, rêve,
Parole ! et sur mon poil qui tout droit se relève
4 Mainte fois de la Peur je sens passer le vent.

En haut, en bas, partout, la profondeur, la grève,
Le silence, l'espace affreux et captivant...

Sur le fond de mes nuits Dieu de son doigt savant
8 Dessine un cauchemar multiforme et sans trêve.

J'ai peur du sommeil comme on a peur d'un grand trou,
Tout plein de vague horreur, menant on ne sait où ;
11 Je ne vois qu'infini par toutes les fenêtres,

Et mon esprit, toujours du vertige hanté,
Jalouse du néant l'insensibilité.
14 — Ah ! ne jamais sortir des Nombres et des Êtres !

XII

LES PLAINTES D'UN ICARE

Les amants des prostituées
Sont heureux, dispos et repus ;
Quant à moi, mes bras sont rompus
4 Pour avoir étreint des nuées.

C'est grâce aux astres nonpareils,
Qui tout au fond du ciel flamboient,
Que mes yeux consumés ne voient
8 Que des souvenirs de soleils.

En vain j'ai voulu de l'espace
Trouver la fin et le milieu ;
Sous je ne sais quel œil de feu
12 Je sens mon aile qui se casse ;

Et brûlé par l'amour du beau,
Je n'aurai pas l'honneur sublime
De donner mon nom à l'abîme
16 Qui me servira de tombeau.

XIII

RECUEILLEMENT

Sois sage, ô ma Douleur, et tiens-toi plus tranquille.
Tu réclamais le Soir; il descend; le voici:
Une atmosphère obscure enveloppe la ville,
4 Aux uns portant la paix, aux autres le souci.

Pendant que des mortels la multitude vile,
Sous le fouet du Plaisir, ce bourreau sans merci,
Va cueillir des remords dans la fête servile,
8 Ma Douleur, donne-moi la main; viens par ici,

Loin d'eux. Vois se pencher les défuntes Années,
Sur les balcons du ciel, en robes surannées;
11 Surgir du fond des eaux le Regret souriant;

Le Soleil moribond s'endormir sous une arche,
Et, comme un long linceul traînant à l'Orient,
14 Entends, ma chère, entends la douce Nuit qui marche.

XIV

LA LUNE OFFENSÉE

Ô Lune qu'adoraient discrètement nos pères,
Du haut des pays bleus où, radieux sérail,
Les astres vont te suivre en pimpant attirail,
4 Ma vieille Cynthia, lampe de nos repaires,

Vois-tu les amoureux sur leurs grabats prospères,
De leur bouche en dormant montrer le frais émail?

Le poëte buter du front sur son travail ?
8 Ou sous les gazons secs s'accoupler les vipères ?

Sous ton domino jaune, et d'un pied clandestin,
Vas-tu, comme jadis, du soir jusqu'au matin,
11 Baiser d'Endymion [1] les grâces surannées ?

« — Je vois ta mère, enfant de ce siècle appauvri,
Qui vers son miroir penche un lourd amas d'années,
14 Et plâtre artistement le sein qui t'a nourri ! »

---

1. Personnage de la mythologie, aimé par Séléné, qui obtient pour lui de Zeus le sommeil éternel ; Séléné le rejoint chaque nuit sans l'éveiller.

Reliquat
des Fleurs du Mal

I

BRIBES

ORGUEIL

Anges habillés d'or, de pourpre et d'hyacinthe.
Le génie et l'amour sont des Devoirs faciles.

————

J'ai pétri de la boue et j'en ai fait de l'or.

————

Il portait dans ses yeux la force de son cœur.
  Dans Paris son désert vivant sans feu ni lieu,
  Aussi fort qu'une bête, aussi libre qu'un Dieu.

————

LE GOINFRE

En ruminant, je ris des passants faméliques.

          Je crèverais comme un obus,
          Si je n'absorbais comme un chancre.

Son regard n'était pas nonchalant, ni timide,
Mais exhalait plutôt quelque chose d'avide,

Et, comme sa narine, exprimait les émois
Des artistes devant les œuvres de leurs doigts.

Ta jeunesse sera plus féconde en orages
Que cette canicule aux yeux pleins de lueurs
Qui sur nos fronts pâlis tord ses bras en sueurs,
Et soufflant dans la nuit ses haleines fiévreuses,
Rend de leurs frêles Corps les filles amoureuses.
     Et les fait au miroir, stérile volupté,
      Contempler les fruits mûrs de leur virginité.

Mais je vois à cet œil tout chargé de Tempêtes
Que ton Cœur n'est pas fait pour les paisibles fêtes,
Et que cette beauté, sombre comme le fer,
Est de celles que forge et que polit l'Enfer
Pour accomplir un jour d'effroyables luxures
Et contrister le cœur des humbles créatures

Affaissant sous son poids un énorme oreiller,
Un beau corps était là, doux à voir sommeiller,
Et son sommeil orné d'un sourire superbe

. . . .
L'ornière de son dos par le désir hanté.

L'air était imprégné d'une amoureuse rage,
Les insectes volaient à la lampe et nul vent
Ne faisait tressaillir le rideau ni l'auvent.
C'était une nuit chaude, un vrai bain de jouvence.

———

Grand ange qui portez sur votre fier visage
La noirceur de l'Enfer d'où vous êtes monté ;
Dompteur féroce et doux qui m'avez mis en cage
Pour servir de spectacle à votre cruauté,

Cauchemar de mes nuits, Sirène sans corsage,
Qui me tirez, toujours debout à mon côté,
Par ma robe de saint ou ma barbe de sage
Pour m'offrir le poison d'un amour effronté ;

. . . .

DAMNATION

　　　　　Le banc inextricable et dur,
La passe au col étroit, le maëlstrom vorace,
Agitent moins de sable et de varech impur

Que nos cœurs où pourtant tant de ciel se reflète ;
Ils sont une jetée à l'air noble et massif,
Où le phare reluit, bienfaisante vedette,
Mais que mine en dessous le taret[1] corrosif ;

On peut les comparer encore à cette auberge,
Espoir des affamés, où cognent sur le tard,
Blessés, brisés, jurants, priant qu'on les héberge,
L'écolier, le prélat, la gouge et le soudard.

Ils ne reviendront pas dans les chambres infectes,
Guerre, science, amour, rien ne veut plus de nous.
L'âtre était froid, les lits et le vin pleins d'insectes ;
Ces visiteurs, il faut les servir à genoux !

SPLEEN

---

1. Mollusque creusant des galeries dans les bois immergés.

Table des poèmes

APPORT DE LA TROISIÈME
ÉDITION DES *FLEURS DU MAL*
(1868)

RELIQUAT
DES *FLEURS DU MAL*

Du tableau

au texte

Valérie Lagier

Du tableau au texte

Jo, la belle Irlandaise
de Gustave Courbet

… transmuer la boue du réel en or poétique…

Baudelaire et Courbet sont deux poètes du réel, attachés à extraire de la réalité la plus sombre et la plus triviale une poésie sublimée, chacun dans le langage qui habille au mieux son univers intérieur, les mots pour le premier et la peinture pour le second. Mais ce regard sans concession qu'ils portent sur le monde, cette vision exigeante des choses, sans pudeur et sans fard, cette capacité alchimique à transmuer la boue du réel en or poétique, valent à ces deux créateurs l'incompréhension du public et la sanction de la société. Tous deux incarnent à leur manière la figure du « maudit », peintre ou poète, « voyant » en butte aux sarcasmes de la bourgeoisie bien-pensante et étriquée du milieu du XIXe siècle, qui fait et défait la réputation d'un peintre et influe sur la publication des écrits d'un poète. Ainsi, l'édition des *Fleurs du Mal* vaut à Baudelaire en 1857 un procès retentissant qui se traduit par une amende de 300 francs et une condamnation pour outrage à la morale publique et aux bonnes mœurs. Le recueil doit être amputé de six poèmes, teintés d'une sensualité jugée excessive et scandaleuse par le tribunal. Quant à

Courbet, ses œuvres parviennent difficilement à forcer les portes du Salon officiel. En 1855, pour protester contre le refus par le jury de tableaux qui lui sont particulièrement chers, il fait construire un pavillon en marge de l'Exposition universelle pour en organiser lui-même la présentation. Et en 1857, l'année même de la parution controversée des *Fleurs du Mal*, une de ses œuvres, *Vénus et Psyché*, est refusée comme « amorale ». Contemporains et amis, Baudelaire et Courbet appartiennent aux mêmes cercles intellectuels et partagent une certaine idée de la beauté et de l'art. Courbet fait ainsi figurer le poète dans son tableau-manifeste *L'Atelier* (1855, Paris, musée d'Orsay) parmi les personnages qu'il considère comme ses maîtres à penser. Baudelaire, lui, dira du peintre en 1862 : « Il faut rendre à Courbet cette justice, qu'il n'a pas peu contribué à rétablir le goût de la simplicité et de la franchise, et l'amour désintéressé, absolu, de la peinture. » Mais c'est encore dans le regard qu'ils portent l'un et l'autre sur la femme que se lit le mieux la connivence intellectuelle entre ces deux créateurs : le « vil animal » de Baudelaire, dont la pensée obsédante hante un grand nombre de poèmes des *Fleurs du Mal*, est un des sujets de prédilection du peintre, qui aime à en montrer les courbes dans des nus voluptueux. Et la sensualité des mots du poète trouve parfois un écho singulier et troublant dans les créations visuelles de Courbet. Ainsi, « La Chevelure » de Baudelaire entre sans effort en résonance poétique avec le portrait de *Jo, la belle Irlandaise*, réalisé par Courbet en 1865, selon un principe de correspondances entre les arts énoncé par le poète dans les *Fleurs du Mal*.

… textures soyeuses et parfums capiteux, sonorités caressantes et visions exotiques…

Véritable fête des sens, « La Chevelure » est un poème composé par Baudelaire, comme « Le Cygne », « Le Voyage », « Le Masque » et quelques autres, pour remplacer les six pièces censurées par le tribunal et exclues du recueil. Poème important de *Spleen et Idéal*, cette œuvre chante la fascination du poète pour la chevelure d'une femme aimée, source inépuisable de plaisirs sensuels — textures soyeuses et parfums capiteux, sonorités caressantes et visions exotiques — et siège inconscient de la rêverie et du souvenir. Au fil des strophes, Baudelaire dessine cette chevelure à travers toutes les sensations qu'elle lui inspire. La vue, le toucher, le goût, l'odorat et l'ouïe sont convoqués tour à tour pour embrasser le mystère de cette « toison », dont la présence animale est sensible dès le premier vers. « Toison », « moutonnant », « encolure », puis, dans la dernière strophe, « crinière » sont autant de mots que Baudelaire emprunte au vocabulaire animalier, comme pour rendre à la femme sa dimension profondément naturelle et sensuelle. Dans l'esprit du poète, les impressions se mélangent et se noient, il ne sait plus par quel sens il se grise et se perd dans « ce noir océan » : son « âme peut boire / À grands flots le parfum, le son et la couleur ». Poésie visuelle, cette œuvre appelle à chaque vers des images d'une incroyable richesse colorée. L'or, le noir, le bleu, telles sont les teintes que cette chevelure abrite dans ses replis. Poésie olfactive, ce poème se respire et dégage une incroyable collection d'odeurs. La chevelure est un « parfum chargé de nonchaloir », une « forêt aromatique » où se mêlent « des senteurs confondues / De l'huile de coco, du musc et du goudron ». Poésie sonore, ce texte accueille en son sein les vibrations de la « musique », du « son » et du « roulis ». Poésie tactile, il emprisonne en ses vers les textures de la « moire », mais aussi la « caresse » du roulis, ou les « bords duvetés » des mèches de cheveux. Enfin, poésie gustative, « La Chevelure » se clôt sur une saveur de « vin », celui du « souvenir » que le poète « hume à longs traits ». Chez Baudelaire, les sensations se répondent et se nourrissent, s'enrichissent mutuellement pour concourir à une perception globale et supérieure de la femme qui se cache dans les souples volutes de cette chevelure. Et chez Courbet, dans *Jo, la belle Irlandaise*, la vision très rapprochée du modèle, la présence envahissante de sa « toison » flamboyante et « moutonnante », nous plongent pareillement dans un univers de sensations animales et voluptueuses.

… c'est un portrait sans fard…

Assise à sa table de toilette, une jeune femme rousse aux longues boucles soyeuses admire son reflet dans un miroir. Elle passe une main nonchalante dans sa chevelure, agitant celle-ci « dans l'air comme un mouchoir », comme le décrit Baudelaire dans la première strophe de son poème. Son visage est d'une beauté charnelle, avec des lèvres pulpeuses et un menton rebondi. Sous le pinceau de Courbet, cette femme prend une vie intense, la beauté qu'il capte dans sa peinture épaisse n'a pas les douceurs édulcorées d'une figure idéale. Cette femme est une vraie femme, c'est un portrait sans fard. La peau de ses joues et de ses mains laisse affleurer en surface une légère rougeur, qu'un peintre cher-

chant à idéaliser son modèle aurait gommée. La lumière
qui l'éclaire est brutale et vient s'écraser sur sa joue
gauche, dessinant sans ménagement les ombres de la
mâchoire et le pli du nez. Mais elle s'accroche aussi sur
les reliefs tourmentés de la rivière de cheveux qui se
déverse sur ses épaules. Courbet ne cherche pas à
entrer dans le détail de ses mèches, quelques touches
longues et épaisses suffisent à en construire l'architecture tourmentée. Un délicieux reflet, minuscule accent
de peinture blanche, vient enfin révéler l'humidité des
lèvres, comme pour en souligner la discrète sensualité.
Courbet, en cadrant son modèle en buste et en renon-
çant à décrire le décor de la pièce, ne laisse au regard
du spectateur aucune échappatoire. Celui-ci ne peut
que plonger dans l'image en empruntant le circuit
sinueux et profond des boucles rougeoyantes, comme
le fait le lecteur dans le poème de Baudelaire. La chevelure est une invitation au voyage, dans l'image comme
dans le poème. Et, comme Baudelaire, Courbet se plaît
à convoquer tous nos sens à cette découverte. La vue
tout d'abord, mais aussi le toucher, qui s'exprime dans
le geste délicat de la main qui démêle les longues
mèches. On entend presque le son caressant des cheveux retombant en pluie sur les épaules, après avoir été
peignés avec les doigts. On peut aussi en imaginer
l'odeur suave et musquée. Terriblement présente, cette
femme immobile, alanguie dans sa propre contemplation, est d'un réalisme presque gênant. Courbet ne laisse
au spectateur aucune zone de mystère, aucun espace
à l'imagination. Il donne tout de son modèle, il nous
livre la totalité de la connaissance intime qu'il en a
acquise.

… un incontestable pouvoir de séduction animale…

Pour l'heure, cette femme dont il nous fait pénétrer les secrets n'est encore que la compagne du peintre James Abbott McNeill Whistler, avec qui Courbet passe un été à peindre à Trouville en 1865. Mais l'année suivante, en 1866, Joanna deviendra très certainement sa maîtresse. Dès lors, il rendra hommage à ses formes généreuses et dévêtues dans *Le Sommeil* (1866, Paris, musée du Petit Palais), enlacement charnel de deux corps féminins, et ira jusqu'à immortaliser son anatomie la plus intime dans l'impudique *Origine du monde* (1866, Paris, musée d'Orsay). Destinées à n'être vues que de leur seul commanditaire, le richissime Turc Khalil-Bey, ces deux œuvres, dont le temps n'a pas épuisé la charge licencieuse, apparaissent aujourd'hui encore comme les bornes infranchissables du réalisme en peinture. Chocs visuels sans précédent, elles clament toutes deux l'excessive poésie d'une réalité sans voile. Et Joanna, inspiratrice de cette débauche picturale, révèle, à travers ces deux représentations d'elle-même, son incontestable pouvoir de séduction animale, que le portrait de 1865 ne laissait que deviner. Cette faculté d'attraction, ce troublant sortilège sont tout entiers contenus dans sa « toison » cuivrée et généreuse. Whistler, avant Courbet, loue déjà l'indubitable magie de ses cheveux acajou, dans une lettre adressée à Fantin-Latour en 1861 : « … les plus beaux que tu aies jamais vus, d'un rouge non pas doré, mais cuivré, comme tout ce qu'on a rêvé de Vénitienne. » Il fera d'ailleurs entrer lui aussi par deux fois la jeune femme dans son univers pictural, mais les visions qu'elle lui inspire ne laissent rien transpirer de la sensualité que Courbet saura lire en elle. Ainsi, elle est cette longue silhouette blanche, éthérée et fragile, se détachant à peine d'un fond crémeux et gris, dans le tableau intitulé *Symphonie en blanc n° 1* et présenté par Whistler au Salon des Refusés en 1863 : le visage de Joanna, entouré d'une cascade de cheveux ondulés et flamboyants, respire l'innocence d'une jeune vierge. Celle qu'Oscar Wilde appelait « la belle dame fantôme aux yeux de Béryl » servait alors souvent de médium aux séances de spiritisme qui se déroulaient chez Rossetti ou chez Whistler. À travers les regards croisés et contradictoires de Courbet et de Whistler, la jeune femme, vierge sage ou fille légère, se cache plus qu'elle ne se révèle. Ces œuvres nous en apprennent, en effet, bien plus sur les fantasmes des peintres, qui l'ont emprisonnée dans les filets de leur talent, que sur elle-même. Joanna n'est plus dès lors qu'un support pour l'expression de la sensibilité de chacun. Cette muse éblouissante sera, en tout cas, cause de la rupture entre les deux peintres. Courbet disait, durant leur séjour à Trouville en 1865 : « Le peintre Whistler est avec moi ; c'est un Anglais qui est mon élève », mais ce dernier ne cachera pas sa déception, faite d'orgueil blessé, en découvrant la trahison dont il a été victime. Dans une lettre à Fantin-Latour datée de 1867, il déclare : « Courbet, et son influence, a été dégoûtant. Ce regret que je sens et la rage et la haine même que j'ai pour cela t'étonneraient peut-être… » Malgré leur rupture, Courbet écrira pourtant encore à Whistler en 1877, bien des années plus tard, songeant avec mélancolie aux beaux jours de Trouville : « J'ai encore le portrait de Jo que je ne vendrai jamais. Il fait l'admiration de tout le monde. » Le portrait dont il parle est probablement celui du musée de Stockholm, que Courbet conservera jusqu'à sa mort. Il n'en réalisera

cependant pas moins de quatre répliques pour des collectionneurs, qui ne se distinguent de l'œuvre originale
que par des variantes mineures.

… cette étincelle animale et primordiale…

Exécuté en une seule séance de pose, ce portrait
original de *Jo, la belle Irlandaise*, réussit le prodige de
véhiculer, à travers une touche rapide et sûre, une trou-
blante sensualité que seul Courbet a su déceler sous la
peau diaphane de son modèle. Le regard scrutateur,
presque voyeur, du peintre cherche ici à pénétrer les
apparences et à nous entraîner dans un voyage aux profondeurs de l'être, loin d'une réalité de façade, tout
comme les vers de Baudelaire, de strophe en strophe,
nous conduisent à la découverte d'un univers voluptueux et sensuel, sous la surface des mots, enrichis de
saveurs et d'images. Tous deux voient, sentent, respirent et entendent la poésie profonde du réel, avec une
faculté supérieure, une ivresse de perception. Leur
appréhension du monde, convoquant tous les sens,
cherche un absolu, une totalité et, pour chacun, la
femme est cette étincelle animale et primordiale qui
contient l'essence du réel, source de plaisir et de souffrance, source de vie, d'amour et de mort. Mais la fascination qu'elle leur inspire n'est pas toujours à l'abri
d'un sentiment de répulsion et d'écœurement, comme
tous les vins et les parfums peuvent, avec excès,
conduire à l'enivrement.

Le texte

en perspective

Dominique Carlat

Mouvement littéraire

Romantisme finissant, Parnasse et naissance de la modernité

L'ÉCHEC DE LA RÉVOLUTION DE 1848 puis le coup d'État du 2 décembre 1851 scellent la défaite de l'engagement des écrivains en faveur de la liberté. Beaucoup d'entre eux se défient désormais des idéaux politiques et observent avec amertume la promotion d'une bourgeoisie d'affaires peu intéressée par les arts. Baudelaire est marqué par cette désillusion. Ses conditions personnelles — la tutelle sous laquelle il est placé afin de préserver son héritage — renforcent encore l'impression qu'il a d'être tenu prisonnier d'un monde sans envergure ni espoir. Le culte qu'il voue aux arts — à la peinture qu'il admire et à la poésie qu'il pratique très tôt — le conduit à se rapprocher d'une génération qui se voue à « l'art pour l'art ». Les parnassiens se replient en effet sur les formes esthétiques, dont ils revendiquent la gratuité et l'inutilité. Certains textes de Baudelaire s'efforcent eux aussi de dépeindre une beauté idéale, protégée de toutes les atteintes de l'histoire ou de la société. Son respect pour la prosodie classique, son art de sculpter des vers parfaitement rythmés et rimés font de lui un poète du Parnasse. Cependant, sa curiosité le mène à s'intéresser à des phénomènes encore balbutiants, à peine perceptibles : la physionomie de la capitale commence à changer ; des populations marginales, prostituées ou mendiants, se font de plus en plus visibles. Et, surtout, Paris offre à l'observateur le spectacle d'une foule indifférenciée au sein de laquelle l'individu perd son identité. Un nouveau rapport à soi se met en place, associé à une perception du temps jusqu'alors inédite. L'instant — celui où peut surgir une silhouette aussitôt disparue, comme dans le poème « À une passante » — devient le cœur de l'expérience. Rares sont les artistes qui parviennent à le saisir, à le fixer pour l'éternité. Baudelaire souhaite être de ceux qui restituent « l'éternité du transitoire ». Attentif à la mode et aux autres artifices liés à un présent évanescent, le poète, tel le dessinateur Constantin Guys réalisant ses croquis, cherche à capter l'air du temps. Ses intuitions le portent à rassembler les signes de la modernité, au moment même où il tente de théoriser cette nouvelle ère. Alors que, sur certains points idéologiques, Baudelaire peut être rattaché à un courant réactionnaire, sa sensibilité à l'époque fait de lui le précurseur d'un art ouvert à la modernité. Peu avare de contradictions, le recueil *Les Fleurs du Mal*, dont les textes ont suscité un lent travail de maturation avant leur publication en 1857, est parcouru par cette tension féconde.

1.

Du culte des images à la haine de la Nature

1. *L'admiration pour les peintres*

Le modèle artistique dont Baudelaire ne cesse de s'inspirer est essentiellement pictural. Les nombreux articles critiques, puis les comptes rendus de salons ne relèvent pas chez lui d'une activité annexe : c'est dans la contemplation des tableaux que trouve à s'exercer sa « grande », sa « primitive passion » : celle des images. La poésie elle-même témoignera de cet enthousiasme pour un art qui s'adresse immédiatement à l'imagination ; celle-ci demeurera toujours aux yeux de l'auteur des *Fleurs du Mal* la première des facultés spirituelles. Elle offre en effet une appréhension concrète du drame humain et du monde indifférent où il se manifeste. Les goûts esthétiques de Baudelaire le portent vers une certaine peinture romantique : celle qui, à travers le pittoresque des scènes médiévales ou des ruines, représente une nature violente, inhospitalière, hantée par la mort et l'angoisse. L'héroïsme, presque toujours condamné à l'échec, y apparaît la seule attitude digne de l'être humain. Selon la conception du poète, le peintre romantique doit s'attacher à la matérialité des formes et des figures pour mieux les transcender grâce à l'imagination ; la couleur est seule susceptible d'opérer cette métamorphose. Aussi Baudelaire ne cessera-t-il jamais de louer Eugène Delacroix, ce coloriste hors pair qui, de *La Mort de Sardanapale* à *La Lutte de Jacob avec l'ange*, poursuit indéfectiblement la même représentation tourmentée d'un combat humain démesuré, à la hauteur des forces naturelles et transcendantes. Toute scène, sous le pinceau de ce peintre, acquiert aux yeux de Baudelaire la dignité d'une légende. Le réel n'est présent que pour être aussitôt transcendé. Tel cet ange de Saint-Sulpice, « calme, doux, comme un être qui peut vaincre sans effort des muscles, et ne permet pas à la colère d'altérer la forme divine de ses membres ».

2. *L'art et l'artifice*

Le romantisme que Baudelaire défend, avant de l'illustrer dans son travail poétique, est cet art du mouvement, présent par exemple dans le *Dante et Virgile aux enfers*; un art sensible à la profondeur métaphysique du destin humain. Il ne s'agit pas ici du romantisme des peintres exaltés par les conquêtes humaines ni de celui des poètes lyriques chantant dans leurs élégies les aventures d'un « moi » aspiré par l'amour et la détresse. Les poèmes de Victor Hugo, par exemple, dont Baudelaire reconnaît le génie, sont à ses yeux, à l'origine, trop uniquement préoccupés par les affres d'un être solitaire qui ne trouverait une étendue digne de sa grandeur que dans la seule immensité ténébreuse. La Nature, chez Baudelaire, n'est pas la compatissante confidente d'un homme déchiré, ni son miroir. Elle est une marâtre, injuste et cruelle. C'est pourquoi l'artiste peut légitimement chanter les artifices, seuls capables d'éloigner de cette brutalité première. Si les civilisations pratiquent le maquillage, n'est-ce pas précisément pour échapper à cette bestialité originaire? L'artificialité des visions poétiques devient alors le témoignage paradoxal de leur authenticité. La sophistication est le gage d'une sagesse. Cette dernière prend volontiers la forme, dans les textes baudelairiens, d'un rire singulier. Reprenant le terme vanté par Victor Hugo dans la *Préface de Cromwell*, Baudelaire propose en effet de faire entrer le grotesque en poésie. Le grotesque est selon lui « l'expression de l'idée de supériorité, non plus de l'homme sur l'homme, mais de l'homme sur la Nature » (*De l'essence du rire*, 1855). Ce « rire absolu » justifie que le poète prenne ses distances avec la vraisemblance et avec la logique, pièces issues de la rhétorique classique. Aussi les poèmes représentent-ils fréquemment un univers fragmentaire, désuni, dont le sens demeure indécidable. Cette alliance, conquise grâce au grotesque, entre la poésie et l'incertitude est l'une des caractéristiques les plus singulières des textes baudelairiens. Le monde décrit poétiquement suscite le doute, si ce n'est le malaise. Sa signification est souvent irrésolue. Quant au moi, s'il n'est pas, comme chez Pascal, « haïssable », il éprouve constamment des tourments dont l'origine est moins sentimentale que spirituelle, métaphysique : car sa déchéance ne peut être séparée de la persistance, dans le présent, des traces du péché originel indélébile. En effet, contrairement à la tendance qui pousse de plus en plus les romantiques à s'éloigner de la religion et à laïciser la réflexion sur l'humanité, Baudelaire renoue avec le Chateaubriand du *Génie du christianisme*. Le tiraillement de l'être entre les deux postulations — vers le bien et vers le mal — est pour lui une donnée indépassable. Elle est en outre favorable à l'éclosion de la création artistique. Le mouvement même des recueils poétiques sera chargé de traduire cette lutte constante, cette irréparable scission. L'équilibre est toujours précaire, appelé à une incessante métamorphose.

2.

Présence de la mort et du mal ; destitution du poète

1. *La séduction de l'effroi*

Si la pensée religieuse sépare ainsi Baudelaire de la plupart de ses devanciers, les motifs que ces derniers avaient importés du romantisme noir anglais sont en revanche volontiers l'objet d'une réappropriation de la part de l'auteur du *Spleen de Paris*. En effet, Baudelaire recourt lui aussi dans ses textes au satanisme : danses macabres, anges déchus, revenants ou morts vivants fréquentent son univers. Mais ils ne sont plus ici destinés à construire un théâtre fantastique dont le mystère serait amplifié. Ils deviennent des figures de la séduction exercée sur le poète par la mort et par le mal. Le but est donc profondément divergent ; il ne s'agit plus de charmer le lecteur par l'étrangeté d'un univers irréel, mais de le confronter aux images « effroyables » d'une lutte morale indépassable. L'étonnante familiarité des poèmes avec la mort, dont ils offrent une description matérielle dépourvue de tout euphémisme, impose au lecteur de ne pas se mentir sur le destin de son corps. Ce dernier, corruptible, porte la marque de la soumission de l'homme à la séduction du mal. Le présent et l'avenir ne seront jamais déliés du poids de ce passé. Le pessimisme éthique, qui se nourrit en particulier de la pesanteur de la mémoire, s'accompagne d'une vision politique également désespérée. La pensée progressiste et démocratique de la plupart des écrivains du second romantisme se heurte chez Baudelaire à une conception sceptique. Loin de promettre une libération prochaine, le règne du grand nombre devient un facteur favorisant la médiocrité et la soumission. La conscience baudelairienne est d'emblée marquée par les limites imposées, par l'homme et par la nature, aux rêves de dépassement. Là où la confiance du premier romantisme faisait de l'artiste — et du poète en particulier — un nouveau Prométhée capable de ravir la vérité pour la dispenser à la foule, la vision baudelairienne fait surgir aussitôt un doute radical sur les pouvoirs de l'homme et sur la nature de la foule.

2. *Une poésie d'opposition*

La poésie cesse avec Baudelaire d'exercer une fonction pédagogique ; la collectivité, dont les velléités d'affranchissement ont été rudement réprimées en 1848, semble désormais irrémédiablement soumise à la mesquinerie et à l'abêtissement qu'on lui impose. Baudelaire avait lui-même placé toute son espérance dans le renversement de la Restauration — assimilée à la piètre modération du beau-père haï, le général Aupick. Son œuvre porte le deuil de cette espérance : la France moderne lui paraît définitivement condamnée à la médiocrité. La parole y est soumise au mensonge. Quant à la place de l'artiste, qui avait pu avec le premier romantisme rêver à l'élévation du pays, elle sera dorénavant réduite aux marges et condamnée à une opposition farouche. L'artiste, chez Baudelaire, assiste à sa destitution. Comme le poète de « Perte d'auréole » *(Petits Poèmes en prose)*, il ne peut que constater, mi-amusé, mi-amer, sa décrépitude. La foule moderne, en matière de goût, est prête à couronner les tentatives les plus vaines ; ce siècle est celui des gloires usurpées. Le dandy, dont l'apparence et les mœurs tranchent nettement avec celles de la foule, exprime ainsi une revendication aristocratique : comme Flaubert, Baudelaire nourrit une véritable haine à l'encontre du « bourgeois », catégorie autant esthétique que sociale. En ce bourgeois se condensent le cynisme de la distinction et le mépris à l'égard du pauvre, la bonne conscience morale et la paresse de l'intelligence. Le dandy, attirant sur sa personne le dédain de tous, provoquant souvent le scandale, éprouve la joie d'échapper à ces faux-semblants ; il répond volontiers aux bons sentiments par l'affectation de cruauté. S'il privilégie le beau sur toute autre valeur, c'est parce qu'il a conscience du mensonge généralisé. L'art chez Baudelaire constitue donc, et en premier lieu, une résistance : à la pensée commune, aux stéréotypes, au siècle qui voit se substituer à la religion le positivisme et le culte du progrès. Ce dernier fait l'objet de ses plus vifs sarcasmes. Comment la science, dans sa domination de la matière, pourrait-elle avoir la prétention de réussir ce que des siècles de religion ont été incapables d'entreprendre ?

3.

Le Parnasse et les ambiguïtés de l'art pour l'art

En 1835, Théophile Gautier écrit dans sa préface de *Mademoiselle de Maupin* : « Il n'y a de vraiment beau que ce qui ne sert vraiment à rien ; tout ce qui est utile est laid car c'est l'expression de quelque besoin, et ceux de l'homme sont ignobles et dégoûtants, comme sa pauvre et infirme nature. L'endroit le plus utile de la maison, ce sont les latrines. » Dans sa violence et son prosaïsme, cette déclaration esthétique témoigne de la distance que les écrivains tiennent à introduire entre leur art et le positivisme contemporain. La séparation qu'ils pressentent entre leur activité désintéressée et la soumission des techniques à des fins pratiques se doit d'être absolue. Une forme d'idéalisme intégral oppose la pureté et l'accomplissement des objets artistiques à l'imperfection et au caractère mélangé des objets de la nature et des créations industrielles. Cette conception contribue à privilégier une écriture affichant clairement la structure du poème et la stabilité de ses éléments : rythmes réguliers, rimes disposées selon un schéma inaltéré, syntaxe se pliant à la disposition strophique seront les témoignages visibles de ce souci esthétique. Les thèmes abordés dans ces textes sont également orientés par la même ostentation. Ils construisent volontiers l'image d'un être impassible, désormais étranger à tout désir d'épancher ses sentiments. Une forme de néoplatonisme semble gouverner ces productions : la pensée dirige ici l'activité créatrice et elle associe en une même intuition les belles formes, le beau et le vrai. Cette séduction de la pensée antique sur la poésie se trouve en outre renforcée par l'appel à des figures mythologiques empruntées au panthéon grec. La critique, sensible à cette orientation, réunit les quelques individualités participant de ces phénomènes ; le jeune poète Catulle Mendès, en éditant en 1866 un recueil de textes fidèles à ces recherches sous le titre *Parnasse contemporain*, fournit le nom grâce auquel cette « école » poétique sera désormais désignée. Le choix du titre a très probablement été gouverné par le souvenir du *Parnasse satirique* de Théophile de Viau : ce recueil de 1622 mêle en effet à la quête esthétique une vision ironique du monde contemporain.

C'est seulement en accentuant ce trait qu'on peut suivre les auteurs qui ont classé Baudelaire dans cette école. Nous ne pouvons que souligner le jeu baudelairien avec les images du corps, de ses plaisirs et de ses tentations ; nous sommes donc, avec *Les Fleurs du Mal*, très éloignés d'une vision éthérée de l'existence humaine. La manière dont le poète extrait la beauté du mal et des objets incarnant habituellement la laideur absolue oblige le lecteur à développer bien des précautions à l'encontre des revendications de sublimation archaïsante du réel. Sur ce point, les poèmes du recueil illustrent sa profonde duplicité. Si le poème XVII, « La

Beauté », évoque la silhouette sculpturale d'« un rêve de pierre » auréolé, dans sa pose de Sphinx, d'une impassible et idéale majesté, nombreux sont les textes illustrant les mouvements indomptables de beautés plus humaines, dont les courbes du corps reproduisent les arabesques sinueuses du « thyrse ». Derrière la divinité, Baudelaire pressent fréquemment la présence, plus charnelle, de la maîtresse et de son ivresse sensuelle. Le poème LVII, « À une Madone », explicite cette association. De même, le portrait tracé de la « Muse vénale » « étal[ant] [s]es appas » (VIII) donne une version pour le moins satirique de l'ode à la divine inspiratrice de la poésie. Le rire de Baudelaire, son « comique absolu » participent ainsi à un détournement de l'esthétique parnassienne.

4.
Le pressentiment d'une nouvelle ère : la modernité

Si, par souci d'ordre et de pédagogie, la critique situe Baudelaire dans le groupe parnassien, son œuvre et en particulier *Les Fleurs du Mal* sont traversées par une perception intuitive du réel qui, comme ce rire évoqué plus haut, oblige à nuancer ce classement.

1. « *L'éternité du transitoire* »

La modernité, que Baudelaire analyse d'abord en peinture, correspond à une nouvelle intuition du temps. Dans cet espace géographique chaotique que constitue la capitale, dont la population s'est considérablement accrue, le poète discerne, au hasard des rencontres, quelques rares scènes où l'instant brusquement cristallise et semble porteur d'une vérité particulière si stylisée qu'elle a toute chance, représentée, d'accéder à la postérité. L'image la plus instantanée, la plus fragile, donne l'impression de révéler l'esprit de l'époque. La notation devient alors indispensable, tant son auteur est sûr d'avoir, devant les yeux, une forme d'évidence : celle de « l'éternité du transitoire ». On trouve ici la raison du goût de Baudelaire pour les crépuscules, dont la répétition ne nuit en rien à l'incomparable indistinction. Comme un photographe qui serait parvenu à immortaliser les gestes les plus délicats, Baudelaire peint ces heures où « Les maisons çà et là commençaient à fumer / Les femmes de plaisir, la paupière livide, / Bouche ouverte, dormaient de leur sommeil stupide ; / Les pauvresses, traînant leurs seins maigres et froids, / Soufflaient sur leurs tisons et soufflaient sur leurs doigts […] Le chant du coq au loin déchirait l'air brumeux » (CIII, « Le Crépuscule du matin »). Le dernier vers illustre cette perception moderne du temps : l'imparfait de l'indicatif y projette dans la durée le fragile instant où l'espace, lui aussi, est brusquement traversé, diffracté. De façon réversible, ce qui habituellement se dilue dans la durée et se projette en mille détails isolés, trouve subrepticement une expression synthétique. De même qu'à travers un vêtement marqué par une mode ancienne l'imagination voit resurgir une époque, ses mœurs, sa philosophie de vie, l'artiste et le poète peuvent rencontrer à la marge de la vie sociale des êtres et des objets dont l'allure recèle l'éphémère secret de la transition du temps. Leur représentation sera d'autant plus porteuse d'universalité qu'elle se sera attachée à en extraire tout ce qui suscite l'annonce d'une disparition prochaine. Aussi le poème moderne se définit-il d'abord par sa capacité à transmettre, non sans mélancolie, les signes avant-coureurs de la mort qui va inéluctablement surgir. La beauté moderne, loin d'être pérenne, est toujours en sursis. Frivole, elle n'acquiert sa personnalité que dans la perspective de son anéantissement. La nature paradoxale du travail du poète veut qu'il contienne ce mouvement dans un objet destiné à persister.

2. *De nouveaux objets poétiques*

Alors même qu'il respecte une prosodie parfaitement régulière et confère à certains de ses textes un aspect cristallin, d'une parfaite harmonie formelle, le poète se trouve dès lors séduit par une frange du monde urbain qui n'a pas encore acquis sa dignité en poésie. Les «vices» qui hantent les lieux dérobés de la grande ville méritent qu'on leur accorde un regard analytique sans préjugés : prostitution, ivresse, recherche des paradis artificiels sont des symptômes de la résistance de l'humanité souffrante aux grands discours contemporains sur le progrès et l'édification d'une nouvelle humanité délivrée. Ces vices expriment paradoxalement une forme de sacré. Ils en gardent la trace : ils témoignent, négativement, d'un appel à un Dieu personnel impossible à atteindre. La prostituée, l'ivrogne, le mendiant, le malade ou le vieillard enfermé derrière les «grands murs de l'hospice blafard» (XLIV) ont tous accès à l'arrière du décor social mais aspirent à l'infini ; leur exil intérieur recèle une profondeur dont le secret mérite d'être respecté et partagé. Le poète, marcheur noctambule, traverse ces lieux marginaux hantés par tant de passions qu'ils sont d'une authenticité sans

commune mesure avec l'image mensongère, lisse et poli-
cée que le second Empire cherche à donner de l'action
humaine. Le recueil poétique, par volonté de scandale,
mais, plus encore, par une lucidité sans concession,
se doit d'offrir une voix à ces « damnés ». Baudelaire
désire fixer les traits, souvent monstrueux — humains
dans leur monstruosité —, de ces êtres singuliers dont
le destin, irrégulier, perturbe les visions trop idéali-
sées du présent. Le poème XCVI, « Le Jeu », offre par
exemple cette description sans fard : « des visages sans
lèvre, / Des lèvres sans couleur, des mâchoires sans
dent ». La vérité d'un visage est souvent plus perceptible dans la fiévreuse caricature que dans l'insipide
portrait. Le fantastique n'est pas coupé du monde. Il
est une composante du réel dont cet art du caricaturiste, comme celui du dessinateur traçant un croquis
instantané, peut saisir la spécificité. Dès lors, au sein
des vers sculptés classiquement, surgit un ensemble
de visions horrifiques porteuses d'une vérité morale
inédite.

3. *L'esthétique sans la morale*

Dans son projet d'épilogue pour l'édition de 1861
des *Fleurs du Mal*, le poète recourt significativement à
une position comparable à celle que Balzac avait confé-
rée à son personnage de jeune ambitieux Rastignac.
Mais le projet diffère irréductiblement. Des hauteurs
de Paris, Baudelaire ne rêve pas de conquête ; d'ici,
« l'on peut contempler la ville en son ampleur, / Hôpital, lupanar, purgatoire, enfer, bagne, / Où toute
énormité fleurit comme une fleur ». Cet excès, cette
démesure seront donc étonnamment cernés dans
la belle harmonie du sonnet. Car ici se situent le

détournement et la transgression insupportables aux
philistins. Le procès intenté au poète s'explique partiel-
lement par l'incapacité des autorités juridiques d'agréer
la déclaration de Baudelaire : « Il y a plusieurs morales.
Il y a la morale positive et pratique à qui tout le monde
doit obéir. Mais il y a la morale des arts. Celle-ci est tout
autre. » Moins pardonnable encore est la pratique qui a
consisté à revêtir d'une forme poétique habituellement
réservée au chant éthéré de la beauté des objets triviaux
que l'on souhaite à jamais réprouvés, bannis. Le recueil
ne va-t-il pas jusqu'à évoquer, dans « Le Vin des chif-
fonniers », les ordures rejetées par la ville, « tas de
débris / Vomissement confus de l'énorme Paris » ? La
poésie s'empare des restes, de ces traces que l'on aime-
rait invisibles. Le scandale consiste en un décentrement
inédit : le marginal est devenu central. Cette figure de
pensée est perceptible dès les premières pages : celles-ci
rassemblent en effet sciemment la dédicace au « poète
impeccable », ailleurs nommé « magicien ès — langue
— française » et le titre annonçant dans son raccourci
le « misérable dictionnaire de mélancolie et de crime »
(première version de la dédicace). La faute — et le prodige — est ainsi d'avoir dénoué les liens entre la morale
et l'esthétique, bouleversé les hiérarchies de valeur. La
seule association du terme « fleurs », fortement connoté
poétiquement, et de l'abstraction « mal » ne peut que
provoquer la colère et la haine des tenants d'un art
pacificateur. La poésie baudelairienne n'est certes pas
lénifiante ; habitée par les luttes intimes taraudant
l'âme de son créateur, elle exaspère les litiges, multiplie
les tensions, n'hésite pas à tirer les conséquences
ultimes de ses raisonnements. Il faut par là entendre lit-
téralement l'expression employée par le poète, soucieux,
dirait-on, d'empirer son cas, lorsqu'il désigne son art,

dans sa modernité, comme participant lui-même de « la prostitution de l'esprit ». Il ne s'agit pas là d'une vague analogie ni d'une métaphore provocante. Le poète, comme la prostituée, a recours à l'artifice pour séduire son public ; sa liberté si désinvolte n'est qu'apparence. Les heures et les jours harassants entièrement dévolus au travail de la forme, s'ils ont la dignité de l'effort, aliènent le poète de la simple vie quotidienne. En outre, l'œuvre, dans les nouveaux circuits journalistiques et éditoriaux, est vouée à une circulation désormais comparable à celle d'une marchandise. C'est pourtant de sa sensibilité, de ses pensées les plus personnelles que le poète a nourri cet objet. Baudelaire a une nette conscience du caractère inaudible de cette constatation mélancolique. Il la clame cependant comme la vérité dernière découverte au cœur de sa démarche, résolument moderne.

Pour prolonger la réflexion

La publication des *Fleurs du Mal* intervient dans un contexte marqué par la très grande richesse de la production poétique. Parmi les œuvres contemporaines paraissent des recueils majeurs.

1852	Leconte de Lisle, *Poèmes antiques*
	Gautier, *Émaux et Camées*
1853	Hugo, *Châtiments*
1854	Nerval, *Les Chimères*
1856	Banville, *Odelettes*
	Hugo, *Les Contemplations*
1857	Banville, *Odes funambulesques*
	Baudelaire, *Les Fleurs du Mal*
1859	Hugo, *La Légende des siècles* (première série)
1861	Maurice de Guérin, *La Bacchante*
1862	Leconte de Lisle, *Poèmes barbares*
1863	Catulle Mendès, *Philomela*

1864 Vigny, *Les Destinées*
1865 Sully Prudhomme, *Stances et poèmes*
      Hugo, *Chansons des rues et des bois*
1866 Première livraison du *Parnasse contemporain*
      Sully Prudhomme, *Les Épreuves*
      Coppée, *Le Reliquaire*
      Verlaine, *Poèmes saturniens*

Choix de textes critiques

Anthologie de la poésie française, XVIIIe, XIXe, XXe siècle, textes choisis, présentés et annotés par Martine Bercot, Michel Collot et Catriona Seth, Paris, Gallimard, « Bibliothèque de la Pléiade », 2000.

Michel JARRETY (sous la dir. de), *La Poésie française du Moyen Âge jusqu'à nos jours*, Paris, Presses universitaires de France, 1997.

Henri LEMAÎTRE, *La Poésie depuis Baudelaire*, Paris, Armand Colin, coll. « U », 1965.

Jean-Claude MATHIEU, *« Les Fleurs du Mal » de Baudelaire*, Paris, Hachette, coll. « Poche critique », 1972.

Pierre PACHET, *Le Premier Venu. Essai sur la poétique baudelairienne*, Paris, Denoël, 1976.

Edgar PICH, article « Parnasse », dans *Dictionnaire de poésie de Baudelaire à nos jours*, sous la dir. de Michel Jarrety, Paris, Presses universitaires de France, 2001.

Genre et registre

Un recueil poétique habité
par une voix désaccordée

UN RECUEIL POÉTIQUE se doit de manifester l'unité
des poèmes qui le constituent. Ce point commun peut
être thématique ; *Émaux et Camées* de Théophile Gautier
repose sur un tel choix. La forme retenue peut également contribuer à rapprocher les textes nés lors de circonstances diverses. Ainsi la poésie antique connaît des
recueils de stances. On notera sur ce point formel la
prédominance du genre sonnet dans *Les Fleurs du Mal*.
Cependant, la répartition des poèmes à l'intérieur de
six sections déséquilibrées tend à compliquer la tâche
du lecteur qui désirerait synthétiser sous une seule formule le contenu du recueil.

1.

La tonalité mélancolique

L'ensemble des textes est gouverné par une tonalité
générale : empruntant le terme *spleen* à la langue
anglaise, Baudelaire tente, à travers lui, de définir l'emprise d'une mélancolie insatiable sur son esprit. La section la plus fournie, *Spleen et Idéal*, explicite la tonalité

majeure qui domine tous les poèmes. Le soixante et onzième poème, «Une gravure fantastique», développant la description de la Mort chevauchant le squelette de sa monture, offre l'image allégorique à partir de laquelle Baudelaire a défini la tonalité de son recueil. Le règne du néant sera projeté dans l'univers moderne. De sa prééminence découle la permanence, jusque dans le plaisir, du spleen. La mélancolie mêlée d'amertume nivelle tous les temps historiques sous une commune désespérance; son règne est celui où gisent, indistincts, «les peuples de l'histoire ancienne et moderne».

Ce sentiment, qui s'oppose à toute vision inspirée par le progrès, conduit à deux mouvements spirituels inverses. Dans certains poèmes se manifeste une tendance à la condensation qui, à côté d'un net souci de précision du vocabulaire, implique la relation d'une expérience singulière, située. Le poème vise alors à transmettre la qualité spécifique de l'émotion vécue. Aucune hésitation ni approximation ne doit détourner le lecteur de cette rare effusion. Ailleurs, la «vaporisation» prédomine. Par ce terme, Baudelaire désigne d'abord un usage de la langue qui recourt volontiers aux périphrases, circonlocutions et s'accompagne d'une syntaxe multipliant les subordonnées et autres détours. La limite des vers et des strophes est transgressée au profit d'enjambements: la syntaxe s'épanche au-delà des limites rythmiques, offrant toutes les potentialités de tension entre le sens et le son. Au classicisme formel s'oppose, dynamiquement, l'expansion de la phrase hors du cadre. Ces arabesques — autre métaphore empruntée au poète — tentent de saisir dans leur contour une atmosphère et des sentiments qui, *a priori*, échappent à la catégorisation. Certains thèmes, comme l'ivresse et autres expériences des drogues, favorisent bien sûr un tel dessin poétique.

Comment expliquer que le spleen prenne des allures si divergentes ? On suggérera que la nostalgie qui s'empare du poète lui fait, tour à tour, ressentir avec netteté la douleur imposée par le monde qui lui est contemporain, et le caractère illimité et «vaporeux» des rêves que suscite son aspiration à un ailleurs. «Anywhere out of the world», s'exclamera l'un des *Petits Poèmes en prose* : «partout pourvu que ce soit hors du monde réel.» D'autre part, Baudelaire conçoit son recueil en fonction d'un équilibre instable des poèmes entre eux. Il sera facile d'observer par exemple qu'après le détournement du discours amoureux dans «Une charogne» (XXIX), qui fait rimer non sans ironie «infection» et «passion», Baudelaire installe immédiatement un texte dont le titre, «De profundis clamavi», est emprunté à la liturgie catholique. La stratégie de composition repose ici sur une volonté manifeste de faire se heurter les registres. Inversement, le poème suivant, «Le Vampire», intègre le souvenir récent de la description horrifique de la charogne pour évoquer le type de lien qui assujettit le poète à une compagne dont l'infâme séduction le poursuit, lui dérobant sa substance. Comme des thèmes musicaux qui s'entrecroisent et se combattent, Baudelaire dispose ses textes dans l'architecture générale du recueil. Son détournement de la morale courante au profit d'une métaphysique de la création artistique se retrouve également dans toutes les sections. *Les Fleurs du Mal* se distinguent en effet de la plupart des recueils poétiques publiés au moment de leur rédaction par la fréquence des scènes qui offrent une réflexion sur la situation imposée au poète et sa fonction. De nombreux textes s'interrogent ainsi, à travers des images d'une densité concrète remarquable, sur le sort qui est réservé à la beauté dans un univers de plus en plus prosaïque. Le geste accompli par Baudelaire, auquel le titre général est fidèle — « transmuer la boue en or » —, revêt dans cette perspective une fonction particulière : en malmenant son lecteur, en le séduisant et le repoussant tour à tour, Baudelaire est désireux de lui faire ressentir ses propres contradictions. L'irrespect à l'égard des conventions morales et esthétiques serait-il plus inadmissible que sa propre propension à s'accommoder du malheur du monde et entretenir un scepticisme confortable à l'encontre de tout idéal ? Le recueil se caractérise d'abord et principalement par cette position d'énonciation : les réactions du lecteur sont intégrées au dispositif du sens et doivent conduire à un ébranlement profond de son être. Lire *Les Fleurs du Mal* nous confronte à une expérience de pensée. Le classicisme de la forme renforce la virulence de l'expérience. Et sa modernité tient dans l'association entre une forme ciselée avec une maîtrise absolue et un propos renversant la certitude naguère développée par Victor Hugo dans *Les Rayons et les Ombres*, selon laquelle « la poésie est vertu ».

2.
Une poésie allégorique ?

1. *L'expression d'une harmonie*

La lecture académique des *Fleurs du Mal* privilégie fréquemment les poèmes qui, à la suite de « Correspondances », construisent l'image d'un univers cohérent et harmonieux. L'influence prétendue des théories illuministes et de Swedenborg sur Baudelaire conforte cette interprétation. Le recueil serait gouverné par une vision cosmique dans laquelle le monde terrestre communique avec les idéalités qui fondent l'ordre naturel. La poésie baudelairienne renouerait, dans cette perspective, avec une vision faisant se répondre, en une parfaite réciprocité, microcosme et macrocosme. La nature poétique du discours littéraire déployé par Baudelaire serait conforme à un tel désir de louer la convergence verticale — avec les idées — et horizontale — entre eux — des signes. Les métaphores permettraient en effet d'unir un objet issu de la sphère humaine et une qualité proprement divine. Les analogies viendraient quant à elles transcrire verbalement l'équivalence des sensations : vue, odorat, toucher, goût seraient reliés par des équivalences éternelles, dont le poète pourrait établir le dictionnaire. Entre le monde sensible et le monde intelligible régnerait la même harmonie qu'au sein des sensations éprouvées par l'homme. La tâche du poète serait dès lors d'aller au-delà du désordre apparent et de manifester, dans sa parole, la parfaite organisation intime de l'univers, son absolue cohérence et sa cohésion sans faille. Une forme de sagesse s'esquisserait ainsi comme point d'aboutissement de l'apprentissage poétique. Aux figures du prophète et du mage que les romantiques précédant Baudelaire avaient développées, se substituerait donc ici le profil d'un poète officiant qui sait, dans la célébration poétique, orienter ses semblables vers la connaissance suprême de l'unité des mondes charnel et spirituel. Aussi la critique a-t-elle souvent insisté sur le retour dans cette poésie du règne de la figure de l'allégorie. Comme dans la poésie médiévale, le texte ferait appel au développement progressif de qualités qui correspondent aux différentes phases de l'édification d'une idée. Cette dernière, hissée à un niveau supérieur par la majuscule qui la marque, entrerait en relation, pacifique ou conflictuelle, avec d'autres abstractions. De fait, Baudelaire recourt fréquemment à la majuscule ; il n'est pas rare que ses poèmes donnent l'impression de déployer une joute intellectuelle confrontant les vertus aux péchés, le Réel à l'Idéal, le Positif à l'Imaginaire, l'Amour à la Haine.

2. *Le déchiffrement du monde ?*

Dans cette perspective, le monde serait porteur d'un sens qui attendrait d'être déchiffré. Le poète, traducteur de l'infini, jouerait un rôle pédagogique : il serait destiné à révéler aux humains les signatures qui dans la nature comme dans la civilisation humaine témoignent de la présence de Dieu et de son plan général. Cependant, certains indices rendent difficile cette lecture exclusive. La modernité donne lieu à des développements marqués par l'expression d'une dispersion du sens, de son éclatement parfois. Même le poème IV, pourtant intitulé « Correspondances », suscite quelques doutes. Le critique Paul de Man a pu insister à juste titre sur la différence fondamentale de fonction entre les différents emplois de l'adverbe « comme » apparaissant au fil du texte. Les premières occurrences participent en effet de la comparaison : « Comme de longs échos qui de loin se confondent / [...] Les parfums, les couleurs et les sons se répondent. » Le poème associe analogiquement l'accord d'échos se fondant en unité et les relations harmonieuses entre les différentes sensations. De même, les « parfums frais comme des chairs d'enfants, / Doux comme [...] et verts comme [...] »

sont définis à travers des associations synesthésiques, horizontales. Sens tactile et visuel sont appelés à définir par analogie la sensation odorante initiale. En revanche, la dernière occurrence de l'adverbe relève d'un autre emploi : « Comme l'ambre, le musc, le benjoin et l'encens » n'utilise le mot « comme » que dans sa fonction d'énumératif. Sans transgresser l'organisation grammaticale du passage, on pourrait le gloser par « des parfums 1 corrompus, 2 riches, 3 triomphants, 4 ayant l'expansion des choses infinies, à savoir 1 l'ambre, 2 le musc, 3 le benjoin, 4 l'encens ». Ce dernier parfum offre logiquement un exemple d'une perception sensible d'une atmosphère de religiosité, sa consomption faisant naître une fumée se dissolvant dans l'infini de l'air. Un phénomène « réel » est ainsi décrit. L'adverbe n'instaure pas ici une analogie, ne développe pas une comparaison. Il attribue à chaque qualité énumérée précédemment le parfum qui peut lui être attribué. Ce détail modifie le sens global du poème. Celui-ci n'est pas entièrement dévolu à l'évocation des correspondances verticales et horizontales. Il prend en compte la diversité des objets du monde et, de manière explicite, évoque la séparation qui permet de les dissocier et, par là même, de reconnaître leur identité.

Baudelaire a ainsi introduit une dissonance irréductible dans le sonnet le plus soucieux d'affirmer la cohérence symbolique de l'univers et l'intégration de l'homme dans son organisation générale. C'est alors pour lui un moyen non de récuser l'existence des correspondances, mais d'affirmer qu'elles ne pourraient être systématisées sans péril. Elles risquent de conduire à un effacement dangereux des barrières séparant les identités. Celles-ci, qu'elles recouvrent des êtres ou des

objets, finiraient par se dissoudre dans une indifféren-
ciation totale si l'on faisait de l'analogie un principe
universel. En d'autres termes, au moment où il illustre
la fécondité de la démarche analogique, Baudelaire
met en garde contre son hégémonie dans certaines
perspectives ésotériques. La poétisation du monde ne
peut contribuer à lui conférer un sens qu'à condition
qu'on sache lui imposer les limites qui la préserveront
du délire d'interprétation.

3. *Les limites de l'interprétation*

Baudelaire percevait ainsi le risque immanent à
toute lecture symbolique dès lors qu'elle s'exerce sans
garde-fou. Ce souci manifeste sa sensibilité aux dérives
auxquelles peut conduire le romantisme tardif lorsqu'il
dissout dans une seule atmosphère onirique la totalité
des signes. D'une certaine manière, l'*Aurélia* de Gérard
de Nerval s'applique à relater les errances suscitées — à
quel coût! — par la transgression de cette mise en garde.
Les frontières du moi elles-mêmes vont se dissoudre, au
risque, pour le sujet, d'être attiré par le néant.

Armés de cette conscience des limites imposées par
Baudelaire, nous pourrons désormais nous défier d'une
lecture allégorique hégémonique. À l'intérieur des
poèmes recourant à cette figure, le lecteur pourra
observer la concurrence des interprétations. Le huitième poème ajouté lors de la troisième édition est
exemplaire. Son titre, «L'Avertisseur», est peu à peu
élucidé grâce au développement de la description d'un
«Serpent jaune». La majuscule contribue à hausser
l'image à la hauteur d'une allégorie. Cette dernière,
pourtant, ne peut donner lieu à une lecture univoque.
L'allure monstrueuse de cette entité, associée à l'ani-

mal emblématique du mal, invite d'abord à l'identifier à la mauvaise volonté ne cessant de contredire les projets humains. Mais les situations où se manifeste cette réticence ne sont pas analogues : les unes, conformes à la suggestion du titre, voient le Serpent déployer un discours qui éloigne l'homme des fautes qu'il pourrait accomplir, en suivant instinctivement ses désirs. L'image est alors celle de la conscience morale, fondée sur le recul critique. En d'autres occurrences, le Serpent prend la parole pour opposer à l'espérance humaine — vertu théologale — un discours sceptique : la mort, dont la survenue est imprévisible, rendrait dérisoire toute projection dans l'avenir. Le Serpent est ici conforme à l'aspect maléfique traditionnellement reconnu : satanique, sa puissance s'oppose à la réalisation du bien. La dernière strophe vient souligner cette tension fracturant l'unité de l'allégorie à travers la formule « quoi qu'il ébauche ou qu'il espère ». La conjonction de coordination « ou » manifeste l'indifférence entre les deux postulations. Que l'homme soit attiré par le mal ou par le bien, la même résistance survient. Qu'elle annihile les projets pervers ou les pensées vertueuses, peu importe : la voix surgit, avec une force égale. Le lecteur est dès lors convié à scinder l'unité de l'allégorie. Son interprétation sera rendue d'autant plus difficile que surgit à la fin du texte une nouvelle périphrase identifiant le « monstre » à l'« insupportable Vipère ». Le qualificatif condense deux sens qui divergent selon la situation d'énonciation que l'on retient. Dans le premier cas, la conscience est jugée insupportable par celui qui, enclin au mal, la voit s'opposer à son plaisir. Dans l'autre, elle est « insupportable » parce que satanique, elle rend dérisoire au regard de la mort toute projection dans le futur. Ces deux versions coexistent, sans qu'il soit possible d'affirmer la plus grande pertinence de l'une ou de l'autre. Là où l'allégorie constitue traditionnellement une figure permettant d'ordonner le réel en fonction d'une morale prééminente, le poème baudelairien l'utilise pour exprimer la contradiction qui s'empare, dès sa naissance, de la pensée critique. Celle-ci est fondamentalement un facteur de division du sens.

3.

La crise du lyrisme amoureux

La forte présence de l'image d'autrui et de la conscience des limites qui l'en séparent permet à Baudelaire de résister aux charmes de l'analogie généralisée. *Les Fleurs du Mal* mettent en scène deux figures privilégiées de destinataires. Le lecteur est convié dès le premier poème ; mais son portrait, ambigu, hésite entre la bienveillance et la sournoise rouerie : « hypocrite lecteur, mon semblable, mon frère. » Baudelaire réclame d'entrée de jeu une participation affective lors de la réception de son œuvre. Défiance ou enthousiasme sont les signes de la même victoire contre l'indifférence. Une deuxième destinataire — la mère — apparaît très rapidement. Elle condense les mêmes sentiments ambivalents : l'attitude qu'elle entretiendrait à l'encontre du poète passerait, sans moyen terme, de la passion compatissante à la haine la plus vive.

Les signes de l'amour sont, comme tous les autres, susceptibles de « réversibilité ». Les adresses qui sont destinées à la maîtresse témoignent de la versatilité que Baudelaire lui prête : tantôt « enfant et sœur », tantôt « sorcière aux yeux alléchants » (LVIII), elle est habitée

d'intentions qui ont la même instabilité que les disposi-
tions du poète à son égard. Cette ambivalence semble
être au cœur de la séduction exercée par l'être féminin ; l'imprévisible est source de fascination. Dès lors, là
où le lyrisme amoureux fondait son assurance, dans
la poésie antérieure, sur la certitude de la passion réci-
proque reliant les deux amants, *Les Fleurs du Mal* sont
habitées par un doute permanent.

La tonalité amoureuse peut brusquement s'inverser,
le poète faisant alors de la caricature de celle à laquelle
il s'adresse un argument propre à nourrir le désespoir
devant sa propre impureté. Selon une logique étudiée
par Michel Butor à propos des récriminations développées dans *Mon cœur mis à nu*, la violence à l'égard d'autrui n'est jamais aussi grande que lorsque le poète
éprouve à son propre égard rage et déception. Les
deux personnes réunies dans l'interlocution sous la
forme des deux pronoms « tu » et « je » sont affectées
par le même doute ; leur identité est fragilisée, leur psy-
chologie réduite au profit d'une analogue dénoncia-
tion de leur perversité. Le poème connaît l'échec qu'il
ne peut manquer de rencontrer à vouloir affecter à la
relation une image stable.

1. *L'amour comme tension*

La thématique à laquelle Baudelaire avait souhaité
dans un premier temps emprunter son titre — *Lesbos* —
et qui fut au centre du scandale et du procès accueillant
la publication du recueil doit être interprétée dans cette
perspective. Comme Marcel Proust plus tard, ce n'est
pas par un goût sulfureux des images érotiques défen-
dues que le poète recourt à cette vision des amours entre
femmes. Certains éditeurs se chargeaient dès cette

époque de répondre par une production médiocre à la demande des collectionneurs de telles « curiosités ». Baudelaire est très éloigné de ce genre de considérations commerciales. Son intérêt pour Sapho n'est pas guidé par de grossiers fantasmes. L'on a souvent noté à juste titre que les poèmes développant ce sujet étaient ceux qui bénéficiaient du plus grand accomplissement formel : leur structure rythmique et syntaxique concourt à un classicisme insoupçonnable d'avoir cédé à la séduction du négligé. Le « nonchaloir » des êtres ici portraiturés ne se reflète nullement en une paresse poétique.

L'hypothèse que l'on peut soulever est que l'insertion des poèmes saphiques dans le recueil vaut principalement pour la modification qu'elle entraîne dans la totalité du discours amoureux. Le moi, représentant du masculin, fait l'épreuve d'une parole qui n'atteint pas sa destinataire : l'homosexualité féminine renvoie le poète au mystère d'une fête des sens qui lui sera à jamais inaccessible. L'exclusion serait fondatrice de la poésie amoureuse. Les paroles que Baudelaire peut adresser à l'une de ces pratiquantes du rite sont vouées à rester extérieures à l'être qu'elles visent. Aussi une forme de sacré entoure-t-elle cet imaginaire. Et la logique du tabou n'est pas seule en cause. La transgression des conventions sociales a moins d'importance que la conscience d'un secret qui double chaque geste, chaque signe de la femme adorée, d'une signification qui restera toujours, pour l'homme, énigmatique.

Car c'est la conscience de demeurer à jamais à la frontière de cet univers qui inquiète et séduit Baudelaire, comme le narrateur de la *Recherche du temps perdu*; n'est-ce pas cette certitude mêlée de jalousie que vient renforcer la parole de Delphine dans le poème condamné « Femmes damnées » ? En effet, l'initiatrice adresse cette mise en garde à la jeune Hippolyte :

> Mes baisers sont légers comme ces éphémères
> Qui caressent le soir les grands lacs transparents,
> Et ceux de ton amant creuseront leurs ornières
> Comme des chariots ou des socs déchirants.

L'amour semble ici d'abord échapper au combat perpétuel dont les autres poèmes dressent le journal incessamment renouvelé. Il exclut la cruauté et la force dont resterait toujours grevée la relation de l'homme à celle qu'il désire. Le contraste entre les deux termes placés à la rime, « éphémères » et « ornières », instaure une distance infranchissable entre les deux formes d'amour.

En outre, la stérilité à laquelle sont vouées ces relations homosexuelles projette l'union en une sphère métaphysique. L'amour est ainsi préservé de l'emprise de la Nature ; cette dernière ne peut ici se jouer des deux êtres en imposant, par la procréation, sa perpétuation. Cette séparation entre le plaisir amoureux et la projection vers un avenir procédant à la transmission des générations confère à la relation féminine une vertu spirituelle. Elle constitue un blasphème contre la nature que la religion, considérée ici comme institution, défend malgré la matérialité de son empire : elle va à l'encontre des préceptes qui soumettent l'acceptation de la relation érotique au cadre du mariage et à la transcendance de l'espèce. Aussi Baudelaire reprend-il, en apparence, la rhétorique qui accompagne la prescription sociale : Delphine et Hippolyte deviennent de « lamentables victimes du crime » promises à descendre « le chemin de l'enfer éternel ». Le système des rimes explicite leur faute : elles ont réconcilié « désirs » et « plaisirs ». Les uns et les autres sont désormais illimités. La conclusion du discours porteur de la prophétie de leur damnation permet à Baudelaire de réintroduire une profonde ambivalence : « Et fuyez l'infini que vous portez en vous ! »

2. *La question de l'infini*

Dans une première perspective, théologique, ce propos semble accompagner l'errance des deux jeunes femmes loin de la sanctification divine de l'amour : ce dernier, seul indice terrestre de la présence de la transcendance, serait ici radicalement dévoyé. Cette errance mériterait donc un châtiment éternel. Mais une autre lecture se montrera plus attentive à l'expression « que vous portez en vous ». L'infini dont il serait ici question serait celui du désir et de la volupté à laquelle accéderait le couple féminin. En cessant de se soumettre à la reconnaissance de l'altérité, en se noyant dans une contemplation sans fin d'elles-mêmes, les deux jeunes femmes découvriraient un nouvel infini. Leur damnation serait de peu de poids en regard de l'extase mystique qu'elles parviendraient à atteindre, dans une suspension et une illimitation du temps. Paradoxalement, la descente aux enfers masquerait une élévation *infinie* vers la spiritualité. Le scandale du discours lyrique baudelairien réside notamment au XIXᵉ siècle dans cette démonstration de la nature spirituelle des corps.

Le poète feint donc de développer, à la première personne, un discours de bannissement. Celui-ci accélère la régression des deux « damnées », devenues « louves », en deçà de l'humanité actuelle. Dans ces noces, les catégories « du juste et de l'injuste » risquent en effet de perdre de leur nécessité. Autrement dit, la multiplication de ces relations pourrait entraîner l'effondrement de l'ordre symbolique. Cette crainte justifierait qu'au

nom de la loi, divine et humaine, et aux yeux de la foule
on les interdise. Le poète se fait ici en apparence le
défenseur d'une morale sociale de l'amour. Il reconnaît
l'écart qui le sépare du couple, en s'adressant à lui depuis
les territoires de la religion, de la justice humaine et de
son ordre patriarcal. Mais la damnation qu'il prononce
est simultanément la reconnaissance de la fascination
que nourrit en lui un en-deçà du langage qui pourrait
faire l'économie de sa loi.

La relation féminine homosexuelle ne prend sans
doute une si grande place dans la poésie de Baudelaire
que parce qu'elle est ainsi l'occasion d'une rêverie
désespérée sur l'asymétrie qui fonde le discours amoureux de l'homme pour la femme. Le lyrisme s'en trouve
affecté, le « toi » auquel s'adresse le discours passionnel
étant toujours susceptible d'avoir fait l'épreuve de cette
tendre fusion infinie qui rend inutile la parole. Le
spleen qui colore nombre de ces poèmes tient à la nostalgie d'une harmonie qui demeure inaccessible à
l'homme. Pour tenter de pallier cette incompréhension
qui grève le discours lyrique, Baudelaire aura recours
à des expédients. Ceux-ci consisteront à transformer la
maîtresse en mère, sœur ou amie. Cette métamorphose,
très fréquente, si elle permet de réduire la distance qui
sépare de l'interlocutrice, est toujours implicitement
associée à l'idéal d'une communication immédiate, qui
n'aurait pas besoin des mots pour atteindre une parfaite transparence. Le lyrisme amoureux des *Fleurs du
Mal* développe en son sein une pensée paradoxale : les
mots ne s'y trouvent adressés qu'en vue de nourrir le
rêve de leur effacement. Baudelaire esquisserait l'intuition que Mallarmé, plus tard, placera au centre de son
œuvre.

Ainsi s'explique qu'apparaisse, comme réalisation

moderne de l'idéal amoureux, la rencontre avec une
« passante ». Le poème XCIII parvient en effet à faire
du spleen un facteur renforçant la certitude d'avoir
vécu, l'instant d'un regard échangé, la seule relation
amoureuse qui eût compté ; en elle serait parvenue à
s'accomplir l'alliance de « la douceur qui fascine » et du
« plaisir qui tue », les deux expériences réunies dans les
territoires de Lesbos. Mais n'est-ce pas le signe le plus
éclatant de la crise vécue par le lyrisme amoureux ?
L'échange a d'autant plus mérité d'être gravé dans la
parole qu'il s'est vécu, des deux côtés, de manière
tacite sous la forme d'une hypothèse préservée de
l'épreuve du réel : « Ô toi que j'eusse aimé, ô toi qui le
savais ! » La lyrique amoureuse ne retrouve son harmonie qu'à condition d'être protégée par l'irréel.

Rappel de la chronologie du recueil

1847   Projet baudelairien de publier « un volume
        grand in-4° ». Nombre de poèmes publiés dix
        ans plus tard sont déjà rédigés. Mais Baudelaire
        craint que leur faible nombre ne constitue la
        matière d'une plaquette et non d'un recueil.

1851   Son ami Charles Asselineau contemple chez
        le poète « deux grands cahiers cartonnés » qui
        rassemblent, sous forme calligraphiée, l'en-
        semble de la production poétique de Baude-
        laire.

1855   Première mention par Baudelaire du titre *Les
        Fleurs du Mal* pour un recueil à paraître.

1857   Parution du recueil chez l'éditeur Poulet-
        Malassis, le 25 juin.
        Commentaire de Barbey d'Aurevilly dans l'ar-
        ticle qu'il lui consacre : « *Les Fleurs du Mal* ne
        sont pas à la suite les unes des autres. Elles
        sont moins des poésies qu'une œuvre poé-
        tique de la plus forte unité. »

Au procès qui ouvre le 20 août, après le réquisitoire du procureur Ernest Pinard, l'avocat de Baudelaire regrette que le ministère public « ait démantelé l'ensemble » puis regroupé des fragments « dans une habile et dangereuse énumération ».

1861   Deuxième publication du recueil. Baudelaire, dans une lettre à Vigny, écrit : « Qu'on reconnaisse que [ce livre] n'est pas un pur album et qu'il a un commencement et une fin. »

1866   Publication des *Épaves*, qui recueillent des pièces condamnées en 1857 ainsi que des poèmes de circonstance.

1868   Chez Lévy, publication posthume — Baudelaire est mort le 31 août de l'année précédente — de la troisième édition des *Fleurs du Mal*.

1869   Première publication, chez le même éditeur, des *Petits Poèmes en prose*.

Bibliographie critique sur l'écriture poétique

Michel COLLOT, article « Lyrisme », dans *Dictionnaire de poésie de Baudelaire à nos jours*, sous la dir. de Michel Jarrety, Paris, PUF, 2001.

Gérard DESSONS et Henri MESCHONNIC, *Traité du rythme*, Paris, Dunod, 1998.

Kate HAMBURGER, *Logique des genres littéraires*, Paris, Le Seuil, « Poétique », 1986.

John E. JACKSON, article « Baudelaire », dans *Dictionnaire de poésie de Baudelaire à nos jours, op. cit.*

Patrick LABARTHE, *Baudelaire et la tradition de l'allégorie*, Genève, Droz, 1999.

Dominique RABATÉ, *Figures du sujet lyrique*, Paris, PUF, 1996.

Karl STIERLE, « Identité du discours et transgression lyrique », *Poétique*, n° 32, Paris, Le Seuil, 1977.

L'écrivain
à sa table de travail

Les intertextualités

1.

La diversité des références ;
leurs origines multiples

L e XIXe siècle est riche d'expériences poétiques de
toutes sortes. Baudelaire, très tôt attiré par cette
forme d'écriture, nourrit une exceptionnelle curiosité.
Aussi son œuvre reflète-t-elle de nombreuses lectures ;
ces dernières contribuent à la présence de très fré-
quentes allusions à des textes antérieurs ou contemporains. Certains emprunts plus longs sont également
perceptibles : il n'est pas rare, par exemple, que Baudelaire cite Gautier, dialogue avec un poète dont les
textes depuis lors n'ont pas reçu le même succès. Mais
la culture baudelairienne dépasse ces strictes limites.
En raison de son activité de critique d'art, le poète a
fréquemment à l'esprit, lors de son travail, tel tableau
contemplé il y a peu, telle description de toile jadis
écrite par un amateur d'art.

1. *Des fresques dans de vieux monastères...*

C'est un tel exemple que nous nous proposons d'analyser en premier. « Le Mauvais Moine », poème IX, classé dans la section *Spleen et Idéal*, offre la description de fresques à sujet religieux ornant les murs des vieux monastères. Leurs motifs seraient inspirés par la présence du spectacle de la mort devant les yeux des moines qui les réalisèrent; aussi parvinrent-ils à « glorifi[er] la Mort avec simplicité ». Cette description développée dans les deux quatrains précède le discours à la première personne du sizain qui leur succède. Le monologue repose alors sur un rapprochement allégorique : le poète, figuré sous la forme du mauvais moine, se reproche de ne pas parvenir à soumettre son propre univers intérieur au même culte « simple » du Jugement dernier. La stérilité de son imagination l'accable. La tiédeur de sa foi éloignée de « ces temps où du Christ florissaient les semailles » le désespère. Une forme de nostalgie pour l'univers monacal l'étreint, lui qui, malgré son pressentiment de la mort, ne parvient à se soumettre à aucune discipline. Les recherches critiques ont permis de percevoir derrière la description liminaire le souvenir très net de pages consacrées par Vasari, théoricien renaissant de la peinture, à la fresque *Le Triomphe de la Mort* peinte sur les murs du Campo Santo de Pise. Ce texte avait été publié dans une nouvelle traduction de Léopold Leclanché en 1839 : les moines y apparaissaient « les uns plongés dans la lecture, la prière et la contemplation, les autres se livrant à de rudes travaux pour gagner leur vie [...]. Au milieu du tableau, la Mort, vêtue de noir et armée de sa faux, montre qu'elle vient de trancher la vie d'une foule de gens de toutes conditions, de tout âge ». La peinture, médiatisée par une description dont la lecture a marqué l'esthète, intervient donc ici comme point de départ de l'écriture poétique. Elle lui donne son impulsion et suggère la comparaison entre les temps originaires de la chrétienté et son actuelle décrépitude.

2. *Des horizons différents...*

Par ailleurs, on sait que Baudelaire est souvent contraint de publier certains de ses textes en journaux. Ces derniers lui fournissent parfois une anecdote qui deviendra le point de départ d'un poème, une réflexion à laquelle il désirera répondre indirectement. Loin de s'enfermer dans son univers poétique, Baudelaire dialogue avec les discours produits par son époque qui, tour à tour, l'intrigue et l'exaspère, suscite sa curiosité et son ire... Parmi les créations contemporaines, la musique constitue encore un domaine où s'exerce son goût et dont les nouveautés, lyriques ou instrumentales, peuvent indirectement influencer sa propre création. Aussi ne s'étonnera-t-on pas de remarquer, au détour d'un vers, une allusion aux opéras de Wagner. L'érudition de Baudelaire, vaste, multiforme, exige du critique qu'il sache parcourir les chemins, souvent tortueux, qui le mèneront à une source probable. Ce cas n'est cependant pas singulier. L'image du palimpseste, manuscrit sur lequel se sont succédé plusieurs textes, illustre parfaitement la pratique littéraire de nombreux écrivains ; il serait illusoire de prétendre à une invention radicalement nouvelle. Le *spleen* baudelairien mènerait d'ailleurs plus volontiers le poète à prendre à son compte le regret que tout ait déjà été dit. Spécifique à Baudelaire apparaît en revanche la coutume de ne pas hiérarchiser les textes avec lesquels il dialogue.

Moderne, le poète l'est dans ce refus des classifications académiques : son intérêt peut porter simultanément sur une œuvre importante et célèbre d'Hugo et sur une rareté bibliophilique publiée quelques décennies auparavant par un « petit romantique ». De même qu'aucun être ne peut *a priori* être exclu du spectacle de la beauté ni de la révélation dernière, aucun genre ne mérite un dédain altier. Se profile ainsi, discrètement, l'attitude qui fera célébrer à Rimbaud les « peintures idiotes, livres sans orthographe » et qui au XXᵉ siècle, chez Apollinaire ou les surréalistes, suscitera l'intérêt pour les productions les plus hétéroclites, parfois marquées par un indéniable mauvais goût. Les « houris », « vampires » et autres « goules » relèvent chez Baudelaire de la même curiosité.

2.

Une pratique originale : l'autocitation

Le premier recueil des *Fleurs du Mal* (1857) est le fruit d'un travail poétique qui s'échelonne sur plusieurs décennies. Aussi certains textes ont-ils été publiés en revue, ou dans un journal, des années avant 1857. Dans les notes qu'il prend en vue de son procès, Baudelaire peut ainsi revendiquer la prescription pour deux des pièces incriminées, « Lesbos » et « Le Reniement de saint Pierre », « parues depuis longtemps et non poursuivies ». Malgré ses protestations, ces poèmes demeureront interdits. Sans doute l'effet d'amplification créé par le contexte lui-même chargé d'érotisme et de satanisme est-il ici responsable. Nombre d'autres textes ont un destin différent : eux aussi furent écrits bien avant la publication en recueil ; mais le poète ne cessa pas de les retravailler. S'offre alors dans les manuscrits une image assez nette des éléments sur lesquels Baudelaire a déployé son esprit critique.

1. *Vers une densité métaphorique*

La plupart des corrections visent à une densité métaphorique supérieure : l'image doit accéder à une condensation plus forte. Baudelaire inverse ainsi, entre deux versions successives du « Guignon », les deux termes placés à la rime dans le dernier tercet. La première version proposait :

> Mainte fleur épanche *en secret*
> Son parfum doux comme *un regret*
> Dans les solitudes profondes.

La version recueillie dans *Les Fleurs du Mal* retiendra :

> Mainte fleur épanche *à regret*
> Son parfum doux comme *un secret*
> Dans les solitudes profondes.

La genèse du poème le pousse vers une cohérence plus grande : conformément au sens des strophes précédentes, est déploré l'isolement dans lequel la production artistique est maintenue. Bien qu'exprimant la quintessence de sa sensibilité et de sa souffrance, le poète est condamné à ne pas être entendu par le public : la fleur exhalant son parfum, marque la plus pure de son identité, dans un espace désolé, a tout lieu de le faire « à regret ». L'hésitation est levée au profit d'un système métaphorique moins énigmatique : comment, en effet, concevoir la « douceur d'un regret » ? En outre, la version retenue propose une allitération « *s*on [...] *s*ecret » qui équilibre le vers et lui confère la douceur évoquée.

Les retouches opérées par Baudelaire portent également souvent sur la versification, dont le rythme est fréquemment souligné par l'adjonction d'une ponctuation plus forte. L'usage des tirets, très fréquent dans le recueil, est souvent ajouté lors d'une relecture du texte afin de souligner ses articulations.

2. *Du vers à la prose...*

De façon moins générale, le lecteur doit s'arrêter parfois sur des phénomènes singuliers : le poème possède une « version » versifiée et une « version » en prose. Dans la plupart des cas, l'ordre est celui-là : après la publication d'un poème versifié dans *Les Fleurs du Mal*, Baudelaire développe sous le même titre un poème en prose publié ensuite dans *Le Spleen de Paris*. L'exemple sans doute le plus célèbre est celui de « L'Invitation au voyage ». Citons ici le début des deux versions, versifiée puis prosaïque :

> Mon enfant, ma sœur,
> Songe à la douceur
> D'aller là-bas vivre ensemble !
> Aimer à loisir,
> Aimer et mourir
> Au pays qui te ressemble !
> Les soleils mouillés
> De ces ciels brouillés
> Pour mon esprit ont les charmes
> Si mystérieux
> De tes traîtres yeux,
> Brillant à travers leurs larmes.
>
> Là, tout n'est qu'ordre et beauté,
> Luxe, calme et volupté. (*Les Fleurs du Mal*, LIII)

> Il est un pays superbe, un pays de Cocagne, dit-on, que je rêve de visiter avec une vieille amie. Pays singulier,

noyé dans les brumes de notre Nord, et qu'on pourrait appeler l'Orient de l'Occident, la Chine de l'Europe, tant la chaude et capricieuse fantaisie s'y est donné carrière, tant elle l'a patiemment et opiniâtrement illustré de ses savantes et délicates végétations.

Un vrai pays de Cocagne, où tout est beau, riche, tranquille, honnête ; où le luxe a plaisir à se mirer dans l'ordre ; où la vie est grasse et douce à respirer ; d'où le désordre, la turbulence et l'imprévu sont exclus ; où le bonheur est marié au silence ; où la cuisine elle-même est poétique, grasse et excitante à la fois ; où tout vous ressemble, mon cher ange. (*Le Spleen de Paris*, XVIII)

La version retenue dans *Les Fleurs du Mal* repose sur une adresse à la femme aimée qui est la destinataire du rêve poétique. La description du pays idéal n'intervient qu'après l'évocation de la relation étroite, préservée de tout obstacle que le couple pourrait y développer. La maîtresse est conviée à entrer avec le poète dans un paysage directement issu de la peinture. L'onirisme témoigne de l'offre adressée à la femme aimée de partager un imaginaire commun. Le système des rimes contribue à renforcer l'harmonie de cette idylle. Le paysage rêvé présente une sorte de portrait indirect de la maîtresse. Le vers « Au pays qui te ressemble ! » gouverne les développements ultérieurs ; ceux-ci filent la comparaison entre le lieu idéal et la femme aimée. Aussi le texte prend-il une coloration nettement lyrique. L'univers devient le prolongement du mystère féminin. Dès lors, l'apparition du refrain « Là, tout n'est qu'ordre et beauté, / Luxe, calme et volupté », fondé sur deux heptasyllabes reliés par une rime riche, permet de rendre présente la scène jusqu'alors rêvée. L'adverbe de lieu, qui ouvre le vers et se trouve isolé par une virgule, oriente le regard vers une direction où la parole

désigne une présence indubitable : tel le geste qui
invite à focaliser le regard sur un objet précis, cet
adverbe a le pouvoir de conférer une existence réelle à
l'espace jusqu'alors rêvé. Ce pays est celui où la sensation rejoint immédiatement la pensée, dans une
alliance indéfectible : les attributs sensibles de ce paysage sont immédiatement traduits en concepts. Les
qualités abstraites conférées à cette contrée seraient la
traduction des qualités reconnues au corps de la maîtresse. La présence répétée de termes de deux syllabes
— « ordre/beauté, luxe/calme » — permet d'inscrire
rythmiquement la régularité harmonieuse reconnue
visuellement dans le paysage. Le dernier mot, « volupté »,
parachève l'alliance entre le pays et la maîtresse, tant
le plaisir semble ici atteindre son intensité maximale.
La perfection formelle suscite un équilibre des facultés
spirituelles du rêveur-spectateur. Le plaisir est double :
charnel et intellectuel, suspendu grâce à l'impair.

Le poème en prose se fonde sur une énonciation
plus complexe : le souhait initial de « visiter ce pays avec
une vieille amie » entraîne une ambiguïté. Celle-ci n'est
levée qu'à la fin du passage cité, lorsque est directement évoquée la destinataire du texte, désignée cette
fois à travers la périphrase « mon ange ». La description
de cette « terre de Cocagne » semble en premier lieu
indépendante. Baudelaire propose une série de développements chargés de cerner la splendeur de la contrée
choisie comme destination du voyage. Les expressions
mythiques, associées à des périphrases : « Orient de l'Occident, Chine de l'Europe », s'efforcent de suivre les
« ondulations de la rêverie » (préface des *Petits Poèmes en
prose*). Ces approches successives convergent vers l'édification d'un paysage dont chaque élément répondrait
aux souhaits de l'imagination. Cette dernière, présente

à travers le terme «fantaisie», qui retrouve ici un sens
ancien, semble l'organisatrice du spectacle. D'elle naît
l'impression d'étrange familiarité d'où surgit le merveilleux. La souplesse de la syntaxe qui multiplie les
subordonnées et fait apparaître des symétries («tant…
tant» / «où… où… où») est ici chargée du rôle qui
incombait dans la première version à la versification. La
splendeur du lieu n'est plus présentée de manière synthétique, comme elle l'était dans le refrain. Elle vient
ici de l'accumulation d'hyperboles et de la multiplication de contrastes dont le poème en prose affirme
qu'ils conduisent à une harmonie. Les deux qualités
reconnues à l'imagination, l'opiniâtreté et la patience,
semblent gouverner la progression du texte : aux intuitions lyriques fusant avec fulgurance a succédé ici une
démarche analytique, plus lente, qui ne recule pas
devant les contradictions. Aussi la prose, simultanément «souple et heurtée» selon le souhait de son
auteur, avoue-t-elle la distance qui la sépare de l'objet
qu'elle décrit : ce pays «où le bonheur est marié au
silence» est l'occasion d'un développement volubile.
Ce dernier s'explique en particulier par le souhait de
retarder le moment où sera levée l'énigme de l'identité
de l'accompagnatrice : ce pays «où tout vous ressemble,
mon cher ange». Seule cette déclaration introduit la
comparaison analogique entre le paysage et la maîtresse. La figure qui gouvernait le poème versifié n'apparaît ici qu'*in fine*, comme une forme de conclusion
de l'éloge des Pays-Bas. En effet, si le poème versifié
semblait recourir à une image picturale sans réfé-
rent immédiat, le poème en prose se veut plus proche
d'une désignation directe du pays évoqué. Les «ciels
brouillés» appartiennent à quelque peinture flamande.
La richesse et l'honnêteté constituent des valeurs

dont les Pays-Bas se veulent le berceau et le conservatoire.

La lecture parallèle des deux versions empêche donc de considérer la seconde comme la traduction en prose du poème initial. Celui-ci propose une forme de blason du corps de la femme aimée par le biais de la description analogique des qualités du paysage contemplé ; ce terme est d'autant plus juste que la rêverie semble ici reposer sur l'espoir de voir une scène picturale s'incarner dans un paysage réel. Le poème en prose, plus sinueux dans sa démarche, recourt à l'imagination populaire fertile en légendes ; le « pays de Cocagne » apparaît comme le prototype d'un lieu destiné à la réjouissance de l'homme ; l'amour n'y est qu'une composante. Aussi l'adresse à la maîtresse n'intervient-elle que tardivement. Au lyrisme érotique plein de subtilité du texte versifié a succédé l'analyse d'une atmosphère fondée sur la réunion de conditions matérielles rarement associées ; c'est au corps plus qu'à l'âme que s'adresse cette évocation d'une scène appesantie sous le confort. Le poème semblait préférer à cette notion celle de la félicité. Plus immédiatement musical, il paraît proposer l'ébauche rapide d'une arithmétique du bonheur spirituel ; le poème en prose, loin de la répéter, s'efforce de multiplier les sensations offertes par une économie domestique savamment maîtrisée. Seul le titre, commun aux deux textes, « L'Invitation au voyage », maintient un lien entre ces deux œuvres si divergentes. *Le Spleen de Paris*, s'il est habité par des thématiques déjà présentes dans *Les Fleurs du Mal*, possède une entière autonomie. Il présente des énigmes que les développements prosaïques se chargent d'élucider progressivement ; les poèmes des *Fleurs du Mal* offrent une forme achevée, dont la spécificité est saisissable dès le premier vers. Ils développent de manière immédiate des analogies entre le charnel et le spirituel. Les *Petits Poèmes en prose* invitent le lecteur à assister à la progressive construction de ces rapprochements ; le travail de l'imagination s'y donne à lire avant l'exposition de son résultat. La fulguration a fait place au lent processus de poétisation du réel.

3. ... et de la prose au vers

Le parcours inverse, passant de la prose aux vers, mérite lui aussi d'être étudié. À un poème en prose rédigé précocement succède alors un texte versifié publié dans *Les Fleurs du Mal* sous le même titre. Les œuvres complètes de Baudelaire offrent ainsi la possibilité d'un va-et-vient régulier entre leurs deux versants. Cette expérience permet de saisir la différence profonde d'orientation des deux œuvres. D'un côté, une écriture édifiant des scènes dont l'opacité doit susciter chez le lecteur perplexité et clairvoyance. De l'autre, une synthèse poétique s'offrant dans sa splendeur immédiate, sous forme d'un objet achevé, harmonieux, qui appelle une forme de sidération. Dans le cas d'un travail prenant en un second mouvement une forme versifiée, le texte en prose acquiert un statut singulier. Au moment de la rédaction du poème versifié, il est lu par le poète comme une simple esquisse, une forme de brouillon dont il faudra tirer un dessin centré sur une seule perspective. L'écriture est, dans un second temps, destinée à métamorphoser en poésie les impressions que la lecture a fait surgir. Nous ne sommes pas ici très éloignés des procédures utilisées par l'écrivain lorsqu'il crée un poème à partir de la contemplation d'une œuvre plastique de vaste dimension : la transposition est complète, elle nécessite de choisir un fragment de la fresque. Il ne s'agit pas d'une adaptation mais d'une recréation dans un nouveau langage esthétique...

Retenons le cas du vingt-troisième poème, « La Chevelure ». Publié en mai 1859, il n'est intégré aux *Fleurs du Mal* que dans leur deuxième édition en 1859-1860. « Un hémisphère dans une chevelure », poème en prose XVII du *Spleen de Paris,* est publié en août 1857. Il est donc antérieur de deux ans. Nous le retranscrivons ici. On se reportera au poème XXIII des *Fleurs du Mal* afin d'opérer la comparaison.

Un hémisphère dans une chevelure

Laisse-moi respirer longtemps, longtemps, l'odeur de tes cheveux, y plonger tout mon visage, comme un homme altéré dans l'eau d'une source, et les agiter avec ma main comme un mouchoir odorant, pour secouer des souvenirs dans l'air.

Si tu pouvais savoir tout ce que je vois ! tout ce que je sens ! tout ce que j'entends dans tes cheveux ! Mon âme voyage sur le parfum comme l'âme des autres hommes sur la musique.

Tes cheveux contiennent tout un rêve, plein de voilures et de mâtures ; ils contiennent de grandes mers dont les moussons me portent vers de charmants climats, où l'espace est plus bleu et plus profond, où l'atmosphère est parfumée par les fruits, par les feuilles et par la peau humaine.

Dans l'océan de ta chevelure, j'entrevois un port fourmillant de chants mélancoliques, d'hommes vigoureux de toutes nations et de navires de toutes formes découpant leurs architectures fines et compliquées sur un ciel immense où se prélasse l'éternelle chaleur.

Dans les caresses de ta chevelure, je retrouve les langueurs des longues heures passées sur un divan, dans la chambre d'un beau navire, bercées par le roulis imperceptible du port, entre les pots de fleurs et les gargoulettes rafraîchissantes.

> Dans l'ardent foyer de ta chevelure, je respire l'odeur du tabac mêlé à l'opium et au sucre ; dans la nuit de ta chevelure, je vois resplendir l'infini de l'azur tropical ; sur les rivages duvetés de ta chevelure je m'enivre des odeurs combinées du goudron, du musc et de l'huile de coco.
>
> Laisse-moi mordre longtemps tes tresses lourdes et noires. Quand je mordille tes cheveux élastiques et rebelles, il me semble que je mange des souvenirs.

Le poème en prose édifie une scène : l'écrivain, qui est également l'amant de la femme à qui le poème est dédié, évoque progressivement les images, visuelles, olfactives et auditives que lui suggère la chevelure abondante de la belle métisse. Le travail de l'imagination est ici développé progressivement, les verbes introducteurs témoignant du processus de la métamorphose opérée. Jamais les deux termes de l'association ne sont réunis dans une métaphore. Le poème en prose est désireux de mettre en scène, au présent de l'énonciation, l'écrivain humant la chevelure et y projetant des sensations produites par un univers exotique. La chevelure fait naître l'évocation de l'hémisphère Sud, elle n'est pas cet hémisphère. La caresse des cheveux est comme un voyage, mais jamais n'est effacée l'origine de celui-ci. À l'inverse, le poème versifié des *Fleurs du Mal*, « La Chevelure », produit un effacement progressif de son prétexte. Après une invocation à la « toison », aux boucles et à leur parfum, se met en place dès la deuxième strophe un voyage imaginaire vers une terre regorgeant de richesses sensibles. Ce n'est qu'à l'avant-dernière strophe que la chevelure réapparaît explicitement : « Cheveux bleus ». Presque tout le poème est ainsi habité par une série de métaphores allusives. Tour à tour forêt, port, océan, la toison féminine est le lieu d'une projection imaginaire. Le poète ne s'adresse plus à sa maî-

tresse pour la supplier de le laisser nourrir son imagination de son corps fabuleux. Celle-ci est devenue une
femme-monde dont la splendeur immédiate est chan-
tée avec lyrisme. Au souhait a succédé ici une évidence
palpable. Le temps est en effet devenu un élément
essentiel. Le vœu du poète est de prolonger l'instant
arrêté de la rêverie, de réclamer de l'éternité (« Longtemps ! toujours ! ») qu'elle offre à l'intimité des deux
êtres une ère sans fin. Là où le poème en prose faisait
apparaître la scène de l'écriture et offrait au lecteur de
partager les moments d'élaboration du rêve poétique,
le poème versifié présente la forme définitive qu'a
atteinte ce dernier. Tout obstacle à l'idéalisation a dis-
paru, la maîtresse n'étant plus la dispensatrice du plaisir mais la garante de sa perfection indestructible,
l'éternelle complice.

Groupement de textes

La ville, un nouvel objet poétique

SI LA PLUPART DES êtres peints par Baudelaire dans *Les Fleurs du Mal* appartiennent déjà à l'univers urbain de la capitale, les *Petits Poèmes en prose,* autrement nommés *Spleen de Paris,* font de la ville le protagoniste principal de la plupart des récits. Son brassage de population, sa géographie mouvante comportant des marges interlopes, sa capacité à isoler l'individu au sein d'un mouvement incessant sont perçus par le poète comme autant d'éléments fondateurs d'une nouvelle conscience de l'existence. Baudelaire se trouve parfois révolté par la cruauté de ce nouvel univers ; mais il sait également percevoir en lui la chance offerte à l'artiste d'une intuition radicalement inédite du temps et du rapport à autrui. Le poème en prose « Les Foules » développe ces thématiques essentielles. Surtout, il résume en quelques expressions devenues proverbiales l'expérience offerte à l'homme moderne au sein de la multitude. Celle-ci permet l'anonymat et favorise l'observation. Comme le sculpteur synthétisant dans son œuvre les qualités des nombreux modèles qui ont posé pour lui, le poète a accès dans la foule à des milliers de visages inconnus, de démarches singulières, de comportements énigmatiques dans lesquels il va reconnaître les traits génériques du nouvel individu. En outre, cette observation s'accompagne de la situation délicieuse du chasseur invisible à ses proies. L'énergie de cette immensité humaine, par un phénomène de vases communicants, semble désormais nourrir le poète lui-même qui a dès lors l'impression de participer à une gigantesque fête. Être mimétique, capable d'entrer dans chacune des personnalités qu'il rencontre, le créateur peut ainsi à loisir sauvegarder l'isolement et la concentration nécessaires à son art et entrer en relation secrète avec les multiples silhouettes qu'il croise. Les foules deviennent ainsi des phénomènes éminemment poétiques : être soi et un autre y est en effet constamment possible. N'est-ce pas l'occasion donnée à chacun d'avoir un accès immédiat aux processus sur lesquels repose la métaphore, l'identification et le maintien de la différence ? Éprouver simultanément l'identité et l'altérité permet de curieux échanges. Pour qualifier ce don de soi aux multiples êtres de rencontre auxquels il se propose un instant de s'identifier, Baudelaire a recours à l'image contradictoire de la « sainte prostitution de [son] âme ». La disponibilité à laquelle il se prête, telle la prostituée, associée à la capacité à éprouver, comme le saint, l'humanité de chacun, justifie cette qualification paradoxale.

Charles BAUDELAIRE (1821-1867)

Petits Poèmes en prose
Le Spleen de Paris, **XII** (1861)

(La bibliothèque Gallimard n° 64)

Les foules

Il n'est pas donné à chacun de prendre un bain de multitude : jouir de la foule est un art, et celui-là seul peut faire, aux dépens du genre humain, une ribote de vitalité, à qui une fée a insufflé dans son berceau le goût du travestissement et du masque, la haine du domicile et la passion du voyage.

Multitude, solitude : termes égaux et convertibles pour le poète actif et fécond. Qui ne sait pas peupler sa solitude, ne sait pas non plus être seul dans une foule affairée.

Le poète jouit de cet incomparable privilège, qu'il peut à sa guise être lui-même et autrui. Comme ces âmes errantes qui cherchent un corps, il entre, quand il veut, dans le personnage de chacun. Pour lui seul, tout est vacant ; et si de certaines places paraissent lui être fermées, c'est qu'à ses yeux elles ne valent pas la peine d'être visitées.

Le promeneur solitaire et pensif tire une singulière ivresse de cette universelle communion. Celui-là qui épouse facilement la foule connaît des jouissances fiévreuses, dont seront éternellement privés l'égoïste, fermé comme un coffre, et le paresseux, interné comme un mollusque. Il adopte comme siennes toutes les professions, toutes les joies et toutes les misères que la circonstance lui présente.

Ce que les hommes nomment amour est bien petit, bien restreint et bien faible, comparé à cette ineffable orgie, à cette sainte prostitution de l'âme qui se donne tout entière, poésie et charité, à l'imprévu qui se montre, à l'inconnu qui passe.

Il est bon d'apprendre quelquefois aux heureux de ce monde, ne fût-ce que pour humilier un instant leur sot orgueil, qu'il est des bonheurs supérieurs au leur, plus vastes et plus raffinés. Les fondateurs de colonies, les pasteurs de peuples, les prêtres missionnaires exilés au bout du monde, connaissent sans doute quelque chose de ces mystérieuses ivresses ; et, au sein de la vaste famille que leur génie s'est faite, ils doivent rire quelquefois de ceux qui les plaignent pour leur fortune si agitée et pour leur vie si chaste.

Jules LAFORGUE (1860-1887)
Premiers poèmes (1881),
recueillis dans *Les Complaintes* (1885)
(Poésie/Gallimard)

Héritier du spleen baudelairien, Jules Laforgue infléchit la notion en lui associant l'ennui sans limite des vies provinciales, de leurs dimanches atones. Sa poésie peint avec humour les longues heures emplies de vide, les déambulations dans un univers monotone, les visions plates d'une réalité sans surprise. Ayant ici recours à la forme du sonnet, le poète développe la description décevante d'un lieu sans pittoresque, hanté par la présence insistante de la déchéance, de la maladie et de la mort ; les termes présents à la rime, « rabougris » et « flétris », sont des qualificatifs suffisamment explicites. Ce mouvement de ruine, d'enlisement dans une matière informe est cependant brusquement interrompu par la vision poétique d'un Paris déserté, retourné à la sauvagerie naturelle. Mais la platitude du lieu, son effacement au sein de « vastes steppes » confirment l'intuition présente : le néant prendra simplement un nouveau visage. Le dernier mot du poème, « sanglot », confirme le maintien de la tonalité élégiaque. Au « troupeau des catins » auront succédé dans mille ans des « troupeaux inconnus ». La répétition suffit à exprimer la permanence d'un spectacle désespérant. Seul semble épargné l'espace cosmique, pur de ses « étoiles chastes » qui, comme le poète, éprouvent la nostalgie d'un autre univers. Derrière le prosaïsme affiché se manifeste ainsi discrètement la permanence du désir d'un ailleurs.

Dans la rue

C'est le trottoir avec ses arbres rabougris.
Des mâles égrillards, des femelles enceintes,
Un orgue inconsolable ululant ses complaintes,
Les fiacres, les journaux, la réclame et les cris.

Et devant les cafés où des hommes flétris
D'un œil vide et muet contemplaient leurs absinthes
Le troupeau des catins défile lèvres peintes
Tarifant leurs appas de macabres houris.

Et la Terre toujours s'enfonce aux steppes vastes,
Toujours, et dans mille ans Paris ne sera plus
Qu'un désert où viendront des troupeaux inconnus.

Pourtant vous rêverez toujours, étoiles chastes,
Et toi tu seras loin alors, terrestre îlot
Toujours roulant, toujours poussant ton vieux sanglot.

Dimanche 13 novembre.

Guillaume APOLLINAIRE (1880-1918)

Alcools (1913)

(La bibliothèque Gallimard n° 21)

Le poète des Rhénanes a su retrouver les mythologies germaniques peuplant les contes et les légendes. Mais son attention aux signes du présent, sa ferveur pour la peinture orphique et cubiste le conduisent à désirer faire entrer dans le discours poétique l'immédiate modernité. Aussi ses poèmes écrits à partir de 1909 sont-ils fréquemment peuplés de machines aussi fabuleuses que la locomotive ou l'aéroplane. La culture populaire, que le poète collectionne avec la même ardeur que les livres savants ou rares, imprègne désormais son univers poétique. Le heurt entre les différents registres est destiné à susciter la surprise. Cette dernière est en effet conçue comme l'émotion spécifique des œuvres modernes : au « bizarre » baudelairien succède dans la poétique d'Apollinaire l'imprévisible, le discordant. Violents contrastes, désordre sans limite, sensations divergentes peuplent un univers poétique sensible à la vitesse qui s'empare de la civilisation. Connaisseur du futurisme naissant en Italie, Apollinaire partage avec lui le goût de l'exaltation, la volonté de mettre l'univers classique sens dessus dessous. Au moment où il prépare la conférence de L'Esprit nouveau *qui synthétisera ce projet esthétique*, le poète consacre un long chant épique à la gloire de l'imagerie du Paris du xxᵉ siècle. Ce dernier, dominé par la tour Eiffel construite à l'occasion de l'Exposition universelle de 1900, voit son ciel zébré par le vol exubérant des avions. La ville s'étend, tout quartier étant susceptible de révéler sa poésie pour peu qu'un regard neuf se pose sur lui. Aussi le titre choisi indique-t-il les lieux périphériques, ces *no man's land* qui ne sont plus tout à fait la ville, pas encore la banlieue. Bientôt les réclames, avec leurs jeux typographiques et leurs couleurs naïves, viendront y séduire le «promeneur des deux rives», ainsi qu'Apollinaire se désigne. Le temps y semble suspendu, ouvert à un avenir dont on pressent qu'il va bouleverser tous les signes. L'abandon de la rime, l'absence de toute ponctuation confèrent au texte son incertitude. L'emploi de la deuxième personne du singulier, qui hésite entre la désignation du poète monologuant face aux métamorphoses du monde et celle d'un lecteur convié à suivre le guide dans ses sauts géographiques, donne au poème son caractère singulier. Les vers libres, dont le rythme ne cesse de varier, contribuent à faire sourdre une musique aux mélodies irrégulières. Les nombreux coq-à-l'âne tracent des cheminements sinueux. Ces derniers offrent un portrait du poète en découvreur inlassable, collectionneur de «fétiches d'Océanie et de Guinée». Ceux-ci, dans leur naïve beauté, témoignent cependant d'une présence de la transcendance. Mais cette dernière, qu'elle soit représentée par le Christ, Pie X ou quelque espérance en un avenir radieux, ne semble pas parvenir à étouffer la mélancolie d'un être qui trouve dans les «pauvres émigrants» une image de son propre exil intérieur. La ville, comme chez Baudelaire, est le lieu esthétique par excellence car en lui s'éprouve la permanence d'une faille impossible à combler. Le jeu avec le lyrisme, dont certains éléments sont sauvegardés mais plongés au cœur d'une voix déstructurée, est le symptôme le plus perceptible de la crise que continue de traverser la subjectivité. L'alcool redevient alors, comme dans Les Fleurs du Mal, *la métaphore des désirs exaspérés, de la vie vécue avec d'autant plus d'avidité qu'est sans cesse perceptible l'effondrement qui la menace. Le crépuscule avec son soleil victime d'une décollation est lui-même hanté par un désir de mort : « soleil cou coupé ».*

Zone

À la fin tu es las de ce monde ancien

Bergère ô tour Eiffel le troupeau des ponts bêle ce matin

Tu en as assez de vivre dans l'antiquité grecque et romaine

Ici même les automobiles ont l'air d'être anciennes
La religion seule est restée toute neuve la religion
Est restée simple comme les hangars de Port-Aviation

Seul en Europe tu n'es pas antique ô Christianisme
L'Européen le plus moderne c'est vous Pape Pie X
Et toi que les fenêtres observent la honte te retient
D'entrer dans une église et de t'y confesser ce matin
Tu lis les prospectus les catalogues les affiches qui chantent tout haut
Voilà la poésie ce matin et pour la prose il y a les journaux
Il y a les livraisons à 25 centimes pleines d'aventures policières
Portraits des grands hommes et mille titres divers

J'ai vu ce matin une jolie rue dont j'ai oublié le nom
Neuve et propre du soleil elle était le clairon
Les directeurs les ouvriers et les belles sténo-dactylographes
Du lundi matin au samedi soir quatre fois par jour y passent
Le matin par trois fois la sirène y gémit
Une cloche rageuse y aboie vers midi
Les inscriptions des enseignes et des murailles
Les plaques les avis à la façon des perroquets criaillent
J'aime la grâce de cette rue industrielle

Située à Paris entre la rue Aumont-Thiéville et l'avenue des Ternes

Voilà la jeune rue et tu n'es encore qu'un petit enfant
Ta mère ne t'habille que de bleu et de blanc
Tu es très pieux et avec le plus ancien de tes camarades René Dalize
Vous n'aimez rien tant que les pompes de l'Église
Il est neuf heures le gaz est baissé tout bleu vous sortez du dortoir en cachette
Vous priez toute la nuit dans la chapelle du collège
Tandis qu'éternelle et adorable profondeur améthyste
Tourne à jamais la flamboyante gloire du Christ
C'est le beau lys que tous nous cultivons
C'est la torche aux cheveux roux que n'éteint pas le vent
C'est le fils pâle et vermeil de la douloureuse mère
C'est l'arbre toujours touffu de toutes les prières
C'est la double potence de l'honneur et de l'éternité
C'est l'étoile à six branches
C'est Dieu qui meurt le vendredi et ressuscite le dimanche
C'est le Christ qui monte au ciel mieux que les aviateurs
Il détient le record du monde pour la hauteur
[…]
Tu regardes les yeux pleins de larmes ces pauvres émigrants
Ils croient en Dieu ils prient les femmes allaitent des enfants
Ils emplissent de leur odeur le hall de la gare Saint-Lazare
Ils ont foi dans leur étoile comme les rois-mages
Ils espèrent gagner de l'argent dans l'Argentine
Et revenir dans leur pays après avoir fait fortune
Une famille transporte un édredon rouge comme vous transportez votre cœur
Cet édredon et nos rêves sont aussi irréels
Quelques-uns de ces émigrants restent ici et se logent
Rue des Rosiers ou rue des Écouffes dans des bouges

Je les ai vus souvent le soir ils prennent l'air dans la
rue
Et se déplacent rarement comme les pièces aux échecs
Il y a surtout des Juifs leurs femmes portent per-
ruque
Elles restent assises exsangues au fond des boutiques

Tu es debout devant le zinc d'un bar crapuleux
Tu prends un café à deux sous parmi les malheureux

Tu es la nuit dans un grand restaurant

Ces femmes ne sont pas méchantes elles ont des soucis
cependant
Toutes même la plus laide a fait souffrir son amant

Elle est la fille d'un sergent de Jersey

Ses mains que je n'avais pas vues sont dures et gercées

J'ai une pitié immense pour les coutures de son ventre

J'humilie maintenant à une pauvre fille au rire horrible ma bouche

Tu es seul le matin va venir
Les laitiers font tinter leurs bidons dans les rues

La nuit s'éloigne ainsi qu'une belle Métive
C'est Ferdine la fausse ou Léa l'attentive
Et tu bois cet alcool brûlant comme ta vie
Ta vie que tu bois comme une eau-de-vie

Tu marches vers Auteuil tu veux aller chez toi à pied
Dormir parmi tes fétiches d'Océanie et de Guinée
Ils sont des Christ d'une autre forme et d'une autre
croyance
Ce sont les Christ inférieurs des obscures espérances

Adieu Adieu

Soleil cou coupé

Jacques RÉDA (né en 1929)
Les Ruines de Paris (1977)
(Gallimard)

Jacques Réda, poète contemporain, se place volontiers dans la lignée de Léon-Paul Fargue et Cingria. Il est de ces poètes qui prennent la mesure du monde en le balisant de leurs pas. À pied, en vélomoteur ou à vélo, il parcourt, avec l'œil nostalgique d'un moraliste de l'espace, les rues de Paris, les chemins de Moselle et les banlieues endormies. Son regard se pose avec tendresse et lucidité sur les signes d'un passé dont il pressent l'effacement prochain. Son humour parfois caustique est à la hauteur de la violence avec laquelle le présent fait disparaître sans pudeur les signes de la culture des gens de peu : celle du bricolage, des arrangements précaires avec le quotidien, sa fatigue et ses merveilles. La nostalgie se nourrit d'une rage qui habite la voix poétique. Jacques Réda incarne en poésie cette capacité d'unir la générosité et le ronchonnement, l'invitation et la rebuffade. Souvent l'observation minutieuse du réel se prolonge en une rêverie inquiète; les signes se métamorphosent, les objets s'animent. Une brèche s'ouvre dans l'univers quotidien, par où le poète accède à un arrière-monde mystérieux. Coexistent ainsi dans le même texte l'observation scrupuleuse et l'accueil du merveilleux. La ville est provisoirement habitée par un opéra fabuleux. Dans le texte qui suit, le poète évoque la promenade régulière qui le mène rue de Javel, non loin des hangars désaffectés où se pressaient naguère les ouvriers métallos de Citroën. Le silence qui a désormais remplacé les sons d'une activité fébrile confère à la scène son étrangeté. Aussi la ronde des papiers que le vent soulève prend-elle dans l'imagination du poète la forme énigmatique d'un colloque tacite. Rituel inexplicable ou célébration de la permanence des gestes qui donnaient à ce lieu sa fonction et son sens ? Le poème choisit sciemment l'irrésolution. Ne subsiste que la conscience hébétée d'avoir assisté à une scène qui ne vous était pas destinée.

Depuis l'attaque au chalumeau des hangars Citroën, très peu de portes restaient en service du côté droit de cette rue (d'ailleurs toutes bouclées comme des coffres-forts sur l'usine de l'Air Comprimé), tandis que du côté gauche une seule, et plutôt mystérieuse, laissait supposer l'existence d'un tunnel sous le remblai. Si bien qu'à part de rares voitures se ruant de Balard au périphérique, excitées par ce raccourci, personne ne songeait à s'y engager le soir ou le dimanche, encore moins à s'y établir. Ainsi j'étais certain de pouvoir m'y recueillir bien tranquille, assis le dos contre un mur en face d'un mur sur le trottoir. De ce dernier mur ne dépassaient que des motifs ferroviaires : le toit d'un wagon du métro, des panneaux de signalisation en damier rouge et blanc comme l'emblème de la Chasse polonaise, et toujours la rude herbe aristocratique et pâle du talus. Par bouffées entre ces deux murs s'engouffrait un vent tiède. Il brassait les odeurs de plâtre, de soudure et de ferraille brûlante des chantiers, et loin de la perturber maintenait la cohésion d'une petite collectivité de paperasses. Jamais elles n'arrêtaient de frémir ensemble et de palabrer, d'organiser des courses, des votes de motions à main levée quasiment unanimes, ou — ce qui m'intriguait le plus — de former deux grands cercles rituels tournoyant de plus en plus vite, en sens contraire mais concentriques, peu à peu réduisant l'espace au milieu vide où l'une, empoignée par l'esprit, échappée d'un bond de la ronde, venait danser, bientôt ressaisie dans le tourbillon des cercles qui finissaient par se confondre, s'étaler en un lourd remous, sur lequel (d'abord appliquée à des essais de lévitation timide) l'inspirée suivante s'envolait, décrivait des figures extrêmement gracieuses et savantes — virages, tonneaux, feuilles mortes, piqués — avant de réatterrir non sans un brin de cabotinage parmi les ovations de l'asphalte. Ensuite jusqu'au prochain coup de vent leur campement s'apaisait. Je pouvais de nouveau ne m'intéresser qu'au mur calme d'en face, aux nuages

en transit par vagues vers le nord-est. Et quand se pro-
nonçait lentement dans le gris une éclaircie — l'or
léger et puis le tendre bleu, enfin ce blanc fou de
flamme oxhydrique — je me dilatais moi-même d'un
rire de crétin sanctifié.

Jacques ROUBAUD (né en 1932)

La forme d'une ville change plus vite, hélas, que le cœur des humains (1991-1998)

(Gallimard)

*Poète et mathématicien, Jacques Roubaud est aussi l'au-
teur d'une vaste autobiographie tentant d'interroger les moti-
vations profondes du développement de son œuvre. Son
érudition poétique se manifeste dans la rédaction d'une
anthologie, mais aussi dans un vaste travail consacré à l'histoire du sonnet. C'est à Baudelaire qu'il rend ici hommage :
le titre du recueil lui est en effet emprunté. Membre de l'Ou-
lipo, Jacques Roubaud partage avec l'un de ses fondateurs,
Raymond Queneau, un même sens de l'humour poétique. En
outre, le recueil, publié en 1999, dialogue ouvertement avec le
volume* Courir les rues, *publié par Queneau en 1966. La
stratification des références conviées dans ce texte est donc
particulièrement complexe ; la désinvolture de ton affichée par
le poète ne doit pas tromper. Comme ses prédécesseurs, Roubaud parcourt ici la topographie parisienne et restitue la
mémoire qu'il a conservée de certains lieux. La célébration de
la ville, qui prend volontiers un tour badin, participe donc
de l'édification d'une image de soi. Il n'est sans doute pas
anodin que le Duguay-Trouin dont le poète décrit ici la rue
sise dans le VIe arrondissement ait été, avant de rejoindre
la flotte de Louis XIV, un corsaire singulièrement habile : les
tours et détours qu'emprunte Jacques Roubaud ont tout
de la démarche sinueuse d'un flibustier désireux de brouiller
les traces. Aussi le lyrisme de quelques vers du texte, s'il exa-
gère avec humour, sous forme d'exclamations, l'émerveillement du poète devant le trajet irrégulier de la rue, n'est-il pas*

entièrement parodique : malgré la clausule (« on s'émerveille comme on peut ») où se manifeste le trait d'esprit, le poème a toutes les raisons de se réjouir qu'une rue que l'on perd pour mieux la retrouver ait conservé, dans la mémoire subjective, sa particularité. N'est-ce pas à de tels repères apparemment insignifiants que se fixe l'image de notre insertion dans le monde ? Le futile n'est souvent que l'autre mot du subtil. Le e muet empêche la rime, montrant qu'ils ne sont pas réductibles l'un à l'autre. La désinvolture est ici une pudeur.

Rue Duguay-Trouin

En sortant du 56 je tournais à gauche, puis encore à
    gauche au premier tournant. J'entrais alors dans la
    rue Duguay-Trouin.
Au bout de la rue il y avait, partant vers la gauche, en
    oblique, la rue Huysmans.
Mais à droite il y avait, en oblique encore, toujours la
    rue Duguay-Trouin !
Le bout de ce bout de rue n'était pas le bout de la rue
    Duguay-Trouin.
La rue Duguay-Trouin tournait sur sa droite et reve-
    nait dans la rue d'Assas,
D'où elle était partie.
Aux premiers jours de mille neuf cent quarante-cinq.
J'étais sorti du 56 rue d'Assas et j'avais découvert le
    mystère de la rue Duguay-Trouin.
Qui quitte la rue d'Assas et aussitôt y revient.
Ô prodige !
Merveille !
Ô mystère insondable de la grande ville !
Je faisais plusieurs fois le tour de ce triangle dont deux
    côtés sont habités par la rue Duguay-Trouin.
Aujourd'hui, 31 décembre 1993, à trois heures de
    l'après-midi, il pleut dans la rue d'Assas, devant le
    56 ;
Il pleut dans la rue Duguay-Trouin,
Vide.
Et je m'émerveille.
Et ce qui m'émerveille aujourd'hui n'est pas que la

rue Duguay-Trouin continue à retourner dans la rue
  d'Assas après un plutôt court chemin,
Mais le souvenir vivace, après quarante-neuf ans, de
  mon émerveillement devant ce phénomène de voi-
  rie parisien.
Mon émerveillement est tout ce dont je me souviens.
Il n'y avait pourtant pas de quoi faire en moi-même
  tout ce tintouin,
Alors,
Et aujourd'hui encore moins.
Mais on s'émerveille comme on peut.
Surtout un 31 décembre.

Chronologie

Charles Baudelaire et son temps

1.

Entre Paris et Lyon

Charles-Pierre Baudelaire naît le 9 avril 1821 au 13 de la rue Hautefeuille à Paris. Son père, François Baudelaire, est un ancien prêtre défroqué qui a été successivement précepteur, peintre puis haut fonctionnaire de la République et de l'Empire. Sa mère, Caroline Defayis, a connu l'émigration en Angleterre sous la Révolution. François Baudelaire meurt le 10 février 1827 alors que son fils Charles n'a pas encore six ans. Un an et demi après, la mère de Baudelaire épouse en secondes noces Jacques Aupick, chef de bataillon. Ce dernier, brillant officier, diplomate puis sénateur d'Empire, sera le cotuteur de Charles. La famille suit Aupick, nommé chef d'état-major en 1831, à Lyon où Charles entre au Collège royal. De retour à Paris en 1836, le jeune homme poursuit ses études au collège Louis-le-Grand. Renvoyé en 1839 alors qu'il fait sa philosophie, il est néanmoins reçu bachelier le 12 août de la même année.

Bien qu'il soit inscrit à l'École de droit, Baudelaire

interrompt ses études pour mener une vie libre, en rupture de ban avec la bourgeoisie. Il rencontre Gérard de Nerval, se lie d'amitié avec Louis Ménard, Ernest Prarond, a une liaison avec une jeune prostituée, Sara, dite Louchette. Inquiète de voir Baudelaire s'abandonner à cette vie de bohème, sa famille le convainc de quitter Paris et de voyager. En juin 1841, il s'embarque pour les Indes sur le *Paquebot-des-Mers-du-Sud*. Il s'arrête à l'île Maurice et à la Réunion ; refusant de poursuivre plus loin le voyage, il charge sa mémoire d'images exotiques.

1814	Abdication de Napoléon Ier et première Restauration : Louis XVIII roi de France.
1815	Retour de Napoléon : les Cent-Jours. Défaite de Waterloo le 18 juin. Seconde Restauration : Louis XVIII, puis Charles X.
1819	Joseph de Maistre, *Du Pape.*
1821	Mort de Napoléon à Sainte-Hélène.
27, 28, 29 juillet 1830	Journées insurrectionnelles (Trois Glorieuses) et chute de Charles X. Louis-Philippe roi des Français : début de la monarchie de Juillet.
1831	Révoltes populaires à Lyon (révolte des Canuts).
1832	Épidémie de choléra. Émeutes à Paris lors de l'enterrement du général républicain Lamarque.
1834	Lois sur les associations. Émeutes à Paris et en province. Répression des mouvements ouvriers et républicains. Massacre de la rue Transnonain.
1835	Attentat manqué de Fieschi contre Louis-Philippe. « Lois scélérates » limitant la liberté d'expression.

2.

1842 : année de la majorité
et de l'entrée en littérature

En 1842, parvenu à la majorité, Baudelaire entre en possession de l'héritage paternel. Il en dilapide la moitié en deux ans. Sa mère le fait placer sous tutelle judiciaire : les revenus du poète seront limités à une somme mensuelle fixe. L'existence de Baudelaire est désormais marquée par les dettes et le harcèlement des financiers. Sa santé est également menacée à la suite d'une syphilis mal soignée. Il recourt de plus en plus fréquemment aux paradis artificiels, laudanum, vin, eaux-de-vie, pour lutter contre la douleur. Il vient de rencontrer Jeanne Duval ; il noue avec elle une relation orageuse qui durera quatorze ans : «cette femme était ma seule distraction, mon seul plaisir, mon seul camarade» (lettre à sa mère, 11 septembre 1856).

Baudelaire entre en littérature dans les années 1842-1843. Il élabore sa doctrine esthétique au moment où le romantisme semble à l'agonie. Mais, selon Baudelaire, le romantisme reste à créer ; il réside dans la sensibilité au «moderne» : c'est «l'expression la plus récente, la plus actuelle du beau» *(Salon de 1846)*. Dans ces années 1840, Baudelaire fréquente le milieu de la petite presse, rédige des articles de critique. Il publie sous forme de plaquettes les *Salons de 1845* et *de 1846*. Le 25 mai 1845, *L'Artiste* publie «À une dame créole», poème composé à la Réunion. Le 30 juin, Baudelaire est tenté par le suicide : «Je me tue parce que je ne puis plus vivre, que la fatigue de m'endormir et la fatigue de me réveiller me sont insupportables» (lettre à Narcisse Ancelle).

Dès octobre 1845, puis en mai 1846, il annonce la parution, par « Baudelaire-Dufaÿs », du recueil *Les Lesbiennes*, premier titre des *Fleurs du Mal*. Seulement quatre poèmes du futur recueil sont alors publiés, mais Baudelaire en a sans doute écrit davantage : trente-neuf des cent poèmes ont vraisemblablement été rédigés avant 1850. En 1847, paraît la nouvelle *La Fanfarlo*. C'est à cette époque qu'il rencontre Marie Daubrun. La vie bourgeoise continue à alimenter sa verve satirique : il vitupère contre le bon sens et l'esprit « juste milieu » de ses contemporains « à qui Michel-Ange donne le vertige et que Delacroix remplit d'une stupeur bestiale » (*Salon de 1846*).

1848	24 février : chute de Louis-Philippe ; proclamation de la République. Adoption du suffrage universel. Juin : soulèvement populaire et répression sanglante de l'armée. 10 décembre : Louis-Napoléon Bonaparte élu président.
1851	Coup d'État de Louis-Napoléon Bonaparte (2 décembre).
1852	Proclamation du second Empire le 2 décembre (Napoléon III).

3.

La littérature comme unique horizon

Baudelaire est un acteur passionné de la révolution de 1848 : il participe aux émeutes de février, désireux de fusiller tous les avatars bourgeois du général Aupick, son beau-père haï. Il fonde avec Champfleury *Le Salut public*, feuille révolutionnaire. Il combat encore en juin, mais l'échec de la révolution marque un tournant dans la vie du poète. Il fait le deuil de toute idée de progrès social et de toute espérance politique : « Le 2 décembre m'a physiquement dépolitisé. Il n'y a plus d'idées générales » (lettre à Ancelle, 5 mars 1852). Baudelaire dit aussi : « 51 m'a complètement dépolitiqué. » Ne pouvant accepter les valeurs utilitaristes de la bourgeoisie ni poursuivre l'idéal révolutionnaire, il adopte les thèse réactionnaires et contre-révolutionnaires d'un Joseph de Maistre. Il se replie sur l'art et la littérature. Il a d'ailleurs commencé dès 1848 la traduction des œuvres d'Edgar Poe. En 1850 et 1851, il publie sa poésie dans diverses revues : onze poèmes paraissent dans *Le Messager de l'Assemblée*. En novembre 1848 (puis en juin 1850 et en avril 1851), Baudelaire annonce le recueil *Les Limbes*, deuxième titre des futures *Fleurs du Mal*.

En 1852, naît sa passion pour Mme Sabatier, à qui il adresse le premier des poèmes (« À celle qui est trop gaie ») qu'il lui enverra jusqu'en 1854. Sa traduction des *Histoires* et des *Nouvelles Histoires extraordinaires* de Poe paraît en 1854 dans *Le Pays*. Le 1er juin 1855, dix-huit poèmes paraissent dans la *Revue des Deux Mondes* sous le titre *Les Fleurs du Mal*. Le 25 juin 1857, la première édition des *Fleurs du Mal* est publiée chez l'éditeur Poulet-Malassis. Les cent poèmes du recueil se répartissent inégalement en cinq sections : *Spleen et Idéal, Fleurs du Mal, Révolte, Le Vin, La Mort*. L'œuvre fait de Baudelaire un auteur scandaleux. Le 20 août, un procès en correctionnelle pour outrage à la morale religieuse (visant quatre poèmes) et à la morale publique (neuf poèmes) a lieu : six poèmes du recueil sont interdits et Baudelaire est condamné à 300 francs d'amende. Malgré le soutien apporté par Sainte-Beuve et Victor Hugo, ce procès accentue le sentiment d'injustice du poète, toujours confronté à une grande précarité économique. Il écrit à sa mère le 9 juillet : « Vous savez que je n'ai jamais considéré la littérature et les arts que comme poursuivant un but étranger à la morale, et que la beauté de conception et de style me suffit. » Mais, le 30 décembre, il ajoute : « Ce que je sens, c'est un immense découragement, une sensation d'isolement insupportable, une peur perpétuelle d'un malheur vague, une défiance complète de mes forces, une absence totale de désirs. »

1852	Auguste Comte, *Catéchisme positiviste*.
1853	Haussmann nommé préfet de la Seine, en vue de la transformation urbanistique de la capitale.
1854	Proclamation du dogme de l'Immaculée Conception.
1855	Exposition universelle à Paris.
1858	Loi de Sûreté générale après l'attentat d'Orsini contre Napoléon III.
1861	Échec de la représentation de *Tannhäuser* de Wagner à Paris.
1864	Fondation à Londres de la Première Internationale.
1867	Exposition universelle à Paris.

4.

« Je suis un vieillard »

En 1859, Baudelaire commence la rédaction de l'ouvrage autobiographique *Mon cœur mis à nu*, « livre de rancunes » (la parution sera posthume). Il s'installe à Honfleur auprès de sa mère. En cette année féconde, il écrit des poèmes comme « Le Voyage », « La Chevelure », « Les Sept Vieillards » ou « Les Petites Vieilles ». En 1860, *Les Paradis artificiels* sont mis en vente ; ils complètent les articles de 1851 intitulés *Du vin et du hachisch*. En 1861, ce sont neuf « poèmes en prose » qui paraissent dans *La Revue fantaisiste*, ainsi que deux articles consacrés à Richard Wagner dans *La Revue européenne*. La condamnation de six poèmes lors du procès en correctionnelle rend nécessaire une deuxième édition des *Fleurs du Mal*, publiée en février ; l'ordre des quatre-vingt-quatorze poèmes autorisés est légèrement modifié et trente-cinq poèmes nouveaux sont ajoutés. L'année suivante, vingt « petits poèmes en prose » sont publiés dans *La Presse*. L'aigreur et le ressentiment du poète s'accroissent face à un monde dans lequel il se sent étranger, comme il le confie à sa mère : « Les artistes ne savent rien, les littérateurs ne savent rien, pas même l'orthographe. Tout ce monde est devenu abject, inférieur peut-être aux gens du monde. *Je suis un vieillard*, une momie, et on m'en veut parce que je suis moins ignorant que le reste des hommes. »

Tandis que désillusions et inquiétudes progressent, une attaque cérébrale, le 23 janvier 1862, marque l'avancée inexorable de la maladie. Ses travaux poétiques se poursuivent néanmoins, ainsi que ses études consacrées à la musique et à la peinture. L'essai sur Constantin Guys, *Le Peintre de la vie moderne*, paraît en 1863 dans *Le Figaro*, la même année que *L'Œuvre et la vie d'Eugène Delacroix*. Mais les revers continuent de frapper le poète. En avril 1864, Baudelaire subit un échec lors de conférences données à Bruxelles où il espérait trouver un éditeur ; de plus en plus aigri, il développe une haine particulière contre la « pauvre Belgique ». Des « poèmes en prose » du *Spleen de Paris* continuent à paraître dans différents journaux ainsi que *Les Épaves* en 1866 : il s'agit des six pièces condamnées en 1857, accompagnées d'autres poèmes. Au milieu du mois de mars 1866, alors qu'il visite l'église Saint-Loup à Namur, Baudelaire est frappé par une attaque cérébrale qui le laisse hémiplégique et en partie aphasique. Hospitalisé à Paris, il meurt le 31 août 1867. Il est inhumé le 2 septembre au cimetière Montmartre.

Ses œuvres paraissent à titre posthume chez l'éditeur Michel Lévy. En 1868, sont mis en vente les *Curiosités esthétiques,* tome II des *Œuvres complètes de Charles Baudelaire,* puis la troisième édition des *Fleurs du Mal* (tome I des *Œuvres complètes,* précédé d'une notice de Théophile Gautier). En 1869, paraissent *L'Art romantique, Petits Poèmes en prose (Le Spleen de Paris), Les Paradis artificiels* (tomes III et IV des *Œuvres complètes*). Les derniers tomes comprennent les traductions de l'œuvre d'Edgar Poe.

Références bibliographiques

Charles BAUDELAIRE, *Correspondance,* choix et présentation de Claude Pichois et Jérôme Thélot, Paris, Gallimard, coll. « Folio classique », 2000.

John E. JACKSON, *Baudelaire,* Paris, Le Livre de Poche, coll. « Références », 2001.

John E. JACKSON, article « Charles Baudelaire », dans *Dictionnaire de poésie de Baudelaire à nos jours,* sous la dir. de Michel Jarrety, Paris, Presses universitaires de France, 2001.

Pierre Jean JOUVE, *Tombeau de Baudelaire,* Paris, Le Seuil, 1958.

Patrick LABARTHE, *Poésie et « rhétorique profonde ». Baudelaire et la tradition de l'allégorie,* Genève, Droz, 1999.

Claude PICHOIS et Jean ZIEGLER, *Baudelaire,* Paris, Julliard, 1987.

**Éléments pour une
fiche de lecture**

Regarder le tableau

- Tout simplement, décrivez ce que vous voyez. Après quoi, donnez un autre titre à ce tableau.
- Puis imaginez les circonstances qui légitiment la pose de la jeune femme. Alors, renommez le tableau.
- Pouvez-vous dire dans quelle pièce se trouve la femme portraiturée ? Justifiez votre réponse en regardant attentivement le tableau.
- Que pouvez-vous dire du cadrage choisi par le peintre ?
- Relisez le poème « Le Cadre » (p. 46) tout en regardant le tableau. Dites pourquoi on peut rapprocher ces deux œuvres.

Le paratexte

- « J'ai un de ces heureux caractères qui tirent une jouissance de la haine, et qui se glorifient dans le mépris. Chaste comme le papier, sobre comme l'eau, porté à la dévotion comme une communiante, inoffensif comme une victime, il ne me déplairait pas de passer pour un débauché, un ivrogne, un impie et un assassin. » Commentez cet autoportrait tracé par Baudelaire dans un projet de préface justificative à la réédition des *Fleurs du Mal*. Trouvez des exemples de poèmes consacrés aux crimes évoqués.

- La condamnation de 1857 dénonce « l'excitation des sens par un réalisme grossier et offensant la pudeur ». Définissez le terme de « réalisme ». Vous semble-t-il pertinent pour qualifier l'esthétique de Baudelaire ? Développez votre réponse de manière argumentée.
- Relevez les titres utilisés par Baudelaire pour chacune des sections de ce recueil. Quelle interprétation peut-on donner de leur succession ?

La relation au romantisme

- Baudelaire a recours pour plusieurs de ses poèmes au latin. Quels motifs ont pu motiver cette utilisation ? Illustrez votre réponse par le commentaire d'un cas précis.
- Victor Hugo écrit en 1840, dans le recueil *Les Rayons et les Ombres* : « La poésie c'est la vertu. » Comment Baudelaire a-t-il détourné cette conception ?
- Dans le poème XXXV de ce même recueil, *Les Rayons et les Ombres*, Victor Hugo écrivait ces vers :

> Écoute la nature aux vagues entretiens.
> Entends sous chaque objet sourdre la parabole.
> Sous l'être universel vois l'éternel symbole.

Commentez ces trois vers, en élucidant le sens du mot « parabole ». Comparez ce fragment au poème baudelairien « Correspondances ». Quelles différences majeures percevez-vous entre les deux conceptions du monde ?

La modernité

- Recherchez dans le dictionnaire les différents sens actuels du mot. Vous semblent-ils définir la nuance que Baudelaire confère à ce terme ?
- Choisissez un poème qui vous paraît correspondre à la modernité décrite par Baudelaire. Justifiez votre choix en quatre arguments.
- Quelle place l'explication religieuse du monde occupe-t-elle selon Baudelaire dans la modernité ?
- Recherchez les mots qui appartiennent à un domaine technique. Ceux qui relèvent d'une tonalité très familière. Expliquez les résultats de leur insertion dans les textes.

Les « thèmes » poétiques

- Quelles expériences du temps Baudelaire met-il en scène dans le recueil ? Pourquoi l'écriture poétique est-elle plus apte qu'une écriture narrative à traduire ces expériences ?
- Le recueil s'ouvre à plusieurs reprises sur des visions du crépuscule. Recherchez tous les poèmes développant ce thème. Pourquoi Baudelaire en fait-il un motif de prédilection ?
- Quelles caractéristiques nouvelles sont revêtues par les villes décrites dans *Les Fleurs du Mal* ?
- Baudelaire nomme une section *Tableaux parisiens*. Pourquoi a-t-il choisi ce titre ? Quelles conséquences celui-ci peut-il avoir sur la réception du texte ?
- Flaubert, à propos de la prostitution, affirmait dans sa correspondance qu'elle constituait souvent un stéréotype contemporain. Comment situer les poèmes de Baudelaire à l'égard de cette affirmation ?

La dimension réflexive du recueil

- Certains poèmes de Baudelaire sont en relation directe avec des éléments de sa biographie. Commentez trois cas où ce phénomène est flagrant.
- Relevez les poèmes qui font intervenir une image du poète. Quelles sont les figures qui lui sont associées (par exemple, les romantiques illustrent souvent celle du prophète) ? Quelles fonctions se trouvent ainsi conférées à l'écrivain ?
- Dans « Don Juan aux enfers », quelles sont les variations que Baudelaire fait subir au mythe tel qu'il avait été illustré par Molière ?

Le texte et l'image

- Imaginez le choix d'une autre œuvre à placer en page de couverture.
- Baudelaire était très critique à l'égard de Courbet. Dans un article consacré à l'« Exposition universelle de 1855 », le poète dénonce « la guerre à l'imagination » qui serait menée par Courbet dans ses toiles. Commentez ce propos en vous fondant sur le rappel de la fonction que Baudelaire confère à l'imagination dans la création artistique.
- Écrivez en une vingtaine de lignes une défense de Courbet. En vous fondant sur la comparaison entre les deux « Chevelures », peinte et décrite poétiquement par Baudelaire, justifiez le rapprochement.